나쁘면 좋더라?

나빠서 좋았어.

식혜인 지음

나쁘면 좋더라? 나빠서 좋았어.

발 행 | 2024년 5월 30일
저 자 | 식혜인
펴낸이 | 한건희
펴낸곳 | 주식회사 부크크
출판사등록 | 2014.07.15.(제2014-16호)
주 소 | 서울특별시 금천구 가산디지털1로 119 SK트윈타워 A동 305호
전 화 | 1670-8316
이메일 | info@bookk.co.kr

ISBN | 979-11-410-8550-6

나쁘면 좋더라?
나빠서 좋았어.

식혜인 지음

BOOKK

CONTENTS

PART 1

PART 2

프롤로그

[합격자 조회 안내] 합격자 조회는 본교 대학원 입시 홈페이지를 통하여 확인 가능합니다.

 남편 퇴근길, 그를 픽업하고 집으로 운전해서 가는 길에 이 문자를 받았다. 콩닥콩닥 가슴이 떨려서 주체가 안 됐지만, 혹시 떨어질지도 모른다는 생각에 집에 가서 합격자 발표를 보기 전에는 남편에게 비밀로, 하기로 했다.
 계획대로 인생이 흘러간 적이 단 한 번도 없지만 이뤄지지 않는다고 생각하며 계획을 하지도 않는다. 우리 부부는 너와 나를 반반 똑 닮은 예쁜 아기를 낳아서 평생 그 아이를 책임지며 살아갈 계획을 했다. 남들처럼 신혼 생활을 하다 보면 예쁜 아기가 찾아올 것으로 생각하며 시간이 흘렀고, 1년 2년 흐를수록 초조해지기 시작했다. 배란 테스트기, 임신 테스트기는 없어서 안 되는 치약 같은 생필품이 되었는데 여지없이 생리가 시작되는 그날, 첨단 의학 기술의 힘을 빌리기로 했다.
 아프지 않던 사람이 병원에 가보고서야 '세상에 이렇게 아픈 사람이 많구나. 하고 느낀다는 이야기를 지인에게서 들었다. 난임 전문 산부인과에 들어서니 '임신이 안 되는 사람이 나 말고도 이렇게나 많구나!' 하는 안도감과 함께 묘한 동질감이 들었다.

 시험관 시술을 하는 과정은 쉽지 않았다. 이때의 경험으로 시험관 시술을 해서 아이를 낳았다는 사람을 보면 일종의 경외감도 느낀다. 매스꺼움과 함께 호르몬제의 투약으로 인한 온몸의 부종, 묵직한 다리 때문에 간밤에 경련으로 잠에서 깨기도 했다. 호르몬 약 투약 두 달, 난자 채취 후 호르몬을 직접 배에 주사하는 과정을 거치면 임신이 될 수 있는데, 실신 지경에 이르는 경험을 여러 번 반복하고서야 아이를 낳기 위한 임신 기간의 출발선에 서게 된다.

 하지만 안타깝게도 우리는 임신할 수 없었다. 호르몬 주사가 맞지 않아 곧 쓰러질 것 같은 고된 하루를 보낸 날 퇴근 후 집으로 들어선 남편은 왈칵 눈물이 눈 안 가득히 고였다. 너무 자주 우는 사람의 눈물은 설득력이 없다. 나처럼. 하지만 그의 눈물은 단 한 번도 볼 수 없었는데, 그런 사람의 눈물은 큰 호소력이 있다. 울컥한 한 숨을 꿀꺽 삼킨 그는 너무 퉁퉁 부어서 나인지 못 알아봤다고 했다.

 '그럼, 둘만 사는 집에 나 말고 다른 여자 누구?' 농담으로 상황을 넘어가려는 나에게 그는 이렇게 힘들게 하면서까지 아이를 낳고 싶지는 않단다. 우리는 그렇게 아이를 가지려는 노력을 포기했다. 사실 그 당시에는 너무 힘들어서 잠시 쉬었다가 운동도 하고 체력을 키운 뒤에 다시 시도해 보려고 했는데, 엄두가 나지 않았다.

 대한민국의 출생률 0.65명...... 해마다 새롭게 갱신하고 있는 출생률을 보면 왠지 죄책감이 든다. '나도 아이를 낳고 싶었는데, 노력도 해봤는데 그게 쉽지 않았어요.' 하고 변명을 늘어놓고 싶은데 그 이야기를 들어줄 사람을 찾지 못했다.

우리 부모님이 희생해서 우리를 키웠던 것처럼 내가 받은 사랑을 물려줄 수 있을 줄 알았는데 나만 보호 속에 사랑을 받고 그걸 내리사랑으로 이어갈 수 없다는 것이 미안했다. 뭔가 잘못을 저지르고 있는 것 같았다. 열 달 동안 내 속에 아이를 품고 그 아이가 세상에 나오는 날을 손꼽아 기다리면서 설렘을 느낄 줄 알았는데 계획과는 다르게 인생이 펼쳐졌다.

나는 착실하게 감정의 단계를 밟았던 것 같다. 분노에서 슬픔, 허탈감을 느낀 다음에는 담담하게 현실을 받아들이게 되었고 상황을 합리화하며 '아이가 없어서 불가능한 것들'에서 '아이가 없기에 가능한 것들'로 생각을 옮겨가기 시작했다. 이럴 때 보면 자기 합리화라는 것이 꼭 나쁜 것만은 아니다.

아이가 없는 새로운 현실을 받아들인 후에는 다시 공부에 집중할 수 있는 환경이 생겼다. 처음부터 대학원 과정을 시작할 생각은 아니었다. 결심의 마음은 무심코 "다시 공부해 볼까?" 하고 툭 내뱉었을 때 가족들의 응원과 긍정을 얻으면서 무럭무럭 커 갔다. 학교를 떠나 있다가 다시 학교로 돌아가는 것은 큰 용기가 필요하다. 젊은 친구들이 많아서 따라가기가 벅찰 것이라는 막연한 두려움과 지금 시작해서 뭐 하냐는 패배감을 적절히 무시해 가면서 시간과 돈과 노력을 들여서 투자해야 하기 때문이다.

나는 오랜 꿈이었던 작가가 되기 위한 도전을 시작했다. 그림을 배웠지만, 대학 졸업 후에는 배웠던 것을 써먹어서 돈을 벌어야 했기에 내가 그리는 창작보다는 가르치는 데 시간을 들였다. 어느 순간 창조해 내는 짜릿함을 잊고 살았던 것 같다. 가르치기 위한 수업 준비물로 그림을 그리는 것이 아니라 내가 그리고 싶었던 것을 고민하고 그림으로 표현하는 즐거움을 다시 찾으면서 설레기 시작했다. 오래전에 묻어뒀던 꿈을 꺼내보고 그 꿈에서 펼쳐지는 길들을 상상해 보면서 인생이 즐거워지며 새롭게 보였다.

아, 처음에 적었던 합격자 발표! 그걸 이야기하려고 이렇게 장황하게 다른 이야기로 빠졌는데, 내가 늘 그렇다. 어디 가서 쓸데없는 말 할까 봐 남편이 매번 걱정하는데 괜한 걱정이 아니다. 여하튼, 집에 가서 확인한 결과 합격이었다. 합격 기념으로 우리는 양고기를 먹으러 갔다.

나는 새옹지마라는 말을 좋아한다. 좋은 일 뒤에는 안 좋은 일이 따라오고, 안 좋은 일 뒤에는 반드시 좋은 일이 따라온다는 말이 정말 그랬다. 이제 우리는 아이가 없이도 행복과 만족을 찾아가고 있다.

아침을 맞이하면 반드시 밤이 오듯 누구에게나 삶의 위기가 온다. 위기에 빠져 허우적거릴 때는 도대체 아침이 다시 오기는 하는지 의심에 빠진다. 새벽이 유난히 더 길 때는 원망하며 '아침은 오지 않아'하고 단정해 버릴 수도 있다. 런지 자세를 해보면 1분이 굉장히 길다. 슬로우 모션처럼 1초, 1초가 흘러가고 결국 느리게 흐르던 1분이 지나듯, 아침이 반드시 오기 때문에 위기 속에 내 관심을 돌리고 한숨 돌릴 곳을 꼭 찾으시기를 바란다.

sicanee

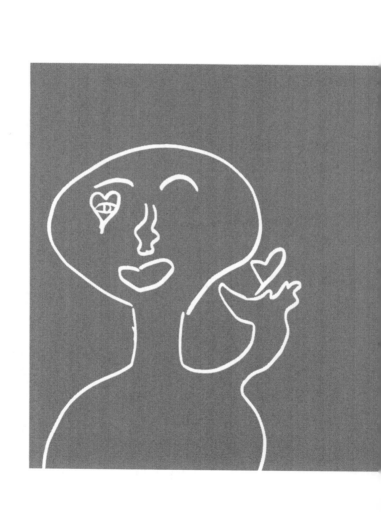

PART 1

나에게도 코로나 위기가! 강제휴원

학원 앞으로 지나가는 차들을 멍하니 쳐다보고 있었다. 아직 빛이 남은 하늘은 학원 깊숙이 해를 집어넣고 있었다.

"00초 1학년 확진자가 나와서 1, 2학년 전체 코로나 검사를 오늘 해요. 내일 결과가 나와서 오늘 하루 학원 휴원하겠습니다."

언제 다시 돌아올지도 모른다는 말씀과 함께 학원을 끊는다는 여러 차례의 전화를 받고 확진자가 나와서 알려드린다는 친한 어머님의 전화 통화를 끝낸 직후 단체 문자를 보냈다. 지금 시간에는 북적북적 정신없이 아이들의 그날 일상을 들어주고 공감해 주며 한창 수업을 하는 시간인데 적막한 학원에 홀로 앉아 있으니 처음 개원할 때가 생각이 났다.

처음 여기에 학원을 개원할 때는 겁도 없었다. 초등학교를 바로 마주하는 상가 건물이지만 바닥 높이가 들쭉날쭉 다 다르고 화장실도 없는 곳이라 초등학교 바로 앞, 넓은 평수에도 불구하고 오랜 시간 임대 현수막이 떨어지지 않았다. 화장실을 만들고 포크레인을 들여와 바닥을 파내어 같은 높이로 만드는 데만 수천만 원이 들 것 같아 엄두가 나지 않았다. 다들 나와 같은 마음이라서 이토록 오래 비어 있겠지. 깨끗하게 새로 지은 상가 건물은 간단한 인테리어만 하면 되지만 월세를 감당할 자신이 없었다. 오래 비어 있어 거미 줄이 곳곳에 쳐져 있고 엉망인 이곳을 새롭게 바꾸려면 공간만 바라보는 상상력이 필요했다. 며칠을 고심하고 가족들과 상의한 끝에 계약하게 되었다.

공사비용을 최소화하려고 바닥 에폭시도 남편과 직접 바르고 벽, 천장 페인트칠도 둘이 발랐다. 지금 다시 하라고 하면 못할 것 같은 고강도의 노동을 그 공간에 투자할 수 있었던 것은 드디어 사장님이 된다는, 내 학원의 원장이 된다는 설렘이 있었기에 가능했다. 페인트를 칠하기 전, 적어도 열 겹은 넘게 벽에 붙어 있던 지난 세월의 벽지들을 떼기 위해 손톱이나 칼로 긁어서 몇 날 며칠 얼얼하게 손에 있던 통증이 그때를 떠올리는 지금 다시 느껴지는 것 같다.

화장실의 커튼 하나, 학원 입구에 걸린 그림 한 점 전부 직접 그리거나 만든 학원. 저렴한 월세에도 감히 누구도 들어

오려고 생각하지도 않았던 그 상가를 내 손으로 직접 만들었다. 내가 원하는 크기로 제작한 유리, 크기와 높이에 맞게 제작한 문, 간판이 걸릴 자리에 직접 페인트칠하고 원하는 조명을 단 가게 외부 그 모든 곳에 내 손길이 닿았다.

뻔한 것은 싫다고 무슨 자신감인지 간판은 달지도 않았고 그 자리에 깔끔한 조명등만 설치했다. 유명한 미술학원 프랜차이즈도 아니고 홍보비 들여서 광고한 것도 아니면서 처음부터 원생들이 북적북적할 줄 알았다. 나중에 잘되고 난 뒤에 남편이 정말 처음부터 다들 등록할 줄 알았냐고 묻는 말에 나는 대답했다.

"오픈하면 바로 다들 등록하는 줄 알았어,"

나는 커리큘럼에 자신이 있었다. 흔히 하는 미술 수업은 하기 싫었고 특히 주입식으로 '이렇게 그려야만 해' 하는 원근법이나 빛에 따른 명암 공식들도 아이들에게 강요하고 싶지 않았다. 서양의 전통적인 그림 방식인 그런 방법들을 깨부수고 있는 것이 현대미술이자 동시대 미술인데 왜 그걸 당연하게 아이들에게 가르쳐야 하지? 그러한 반감에 내가 가르치고 싶은 교육을 직접 짜서 창의력을 충분히 발휘할 수 있는 교육을 하겠다는 사명감에서 시작했기 때문이다. 하고 싶은 수업이 너무나 많아 반년 치의 커리큘럼은 다 짜 놓은 상태였고, 수업해 볼 아이들만 있으면 되었다. 그래서 오픈을 서둘렀고, 설렘이 머리에도 가슴에도 가득 차서 출근을 하기 시작했다.

초등 전문 미술학원은 보통 아이들이 학교 수업이 끝나고 오는 1시부터 6시까지 수업이 진행된다. 1시까지 출근해서 6시까지 혼자 앉아 있다 돌아오는 것을 두어 달 정도 했던 것 같다. 아무도 등록을 하지 않는 두 달이 지날 무렵에는 슬슬 불안해지기 시작했다.

'내가 모험을 했던 걸까?'

'망해서 나가면 여기 공사비용은 권리금으로 받을 수 있을까?'

'내가 지금 무슨 짓을 저지른 거지'

정말 다양한 체험을 할 수 있도록 준비되어 있는데 원생이 없으니 난감했다. 결의에 차서 열정 가득한 선생님만 있으면 뭘 하나? 즐겁게 미술 활동을 할 아이들이 있어야지. 광고도 안 하고 간판도 없이 내가 정말 무모하구나, 쓸데없이 자신감만 가득 찼었구나! 하는 자기반성이 시작될 무렵 성준이가 등록했다. 나중에 성준이 어머님께 아무도 없는 학원에 어떻게 등록했는지 여쭤봤을 때 내 눈이 반짝반짝 빛나고 있었다고 하셨다.

흔한 학원 광고 전단 한 장 없이 뭐 하는 가게인지 간판도 없이 처음 등록한 성준이를 시작으로 한 명, 두 명 아이가 들어오기 시작했다.

8명 정도 등록해서 재미있게 수업하다 보니 입소문이 나기 시작했다. 입소문은 처음 시작 속도가 느려서 그렇지 진심을 가득 담아 내 일을 열심히 하고 있다 보면 분명히 나게 되어 있다. 원비를 받아서 재료비만 반 넘게 쓴 적도 있었고 월세 내고 전기세, 수도세, 교통비 빼면 적자가 계속되었는데도 거기에 연연하지 않았던 것 같다. 돈을 벌려고 생각하면 재료비가 많이 드는 만들기보다 종이에 그리기만 해야겠지만 아이들과 하고 싶은 만들기가 더 많았다. 수업료 받는 것에 비해 과도하게 재료비 비율이 높아서 잠시 고민해본다고 장바구니에 담아둔 수업 재료도 결국에는 전부 진행했던 것 같다.

아이들을 가르치면서 알게 된 나에 대한 진실이 있는데, 아이들과 함께할 때 특히 아이들이 즐거워서 방방 뛸 때 나도 어릴 때로 돌아가는 것만 같다. 평소에는 오글거려서 남편에게도 해본 적 없는 귀여운 말투가 아이들과 대화하면서 자연스럽게 나오고 진심으로 즐겁게 수업하고 있었다. 바로 내가.

사주팔자와 전생에 관한 책이 있는데 내 사주에 해당하는 책을 펼쳐보면 누군가를 가르치는 사람이 있다. 누군가를 가르칠 때 엔도르핀이 나오고, 살아 있다는 것을 느끼는 천직이라는 것을 처음 느꼈던 것 같다.

'돈이 전부는 아니구나'

'직업의 사명감 같은 것이 정말 있구나' 하는 깨달음이었다.

모자라는 비용은 외부 수업을 하거나 단기 아르바이트를 하면서 충당하고 재미있게 학원을 운영하다 보니 점차 원생이 늘었다. 전체 원생이 70명까지 찬 적이 있었는데 수업의 질이 떨어지고 아이들이 배워갈 공간적, 시간적 제약이 있었다. 60명도 그럭저럭 수업은 가능하지만, 아이들 한 명한 명 신경 쓰면서 수업이 가능한 적절한 인원은 50명이었다. 그래서 50명까지만 원생을 받고 51번째 학생부터는 대기 1번으로 두었다.

무모하게 맨땅에 헤딩하여 원생이 아무도 없는 두 달 남짓, 감사하게도 조용한 미술학원에 등록해 주셔서 재미있게 수업하며 운영하는 사이 50명의 학생과 대기자가 있는 상황에서 2020년 코로나가 시작되었다.

천장 제일 모서리, 저기 페인트칠하다가 목이 꺾이는 줄 알았는데. 미켈란젤로는 그 넓은 시스티나 천장을 어떻게 그렸을까 하는 생각을 하다가 멍하게 앉아 바닥에 길게 드리워진 그림자를 보고 있으려니 눈물이 울컥 차올랐다.

그때 띠링띠링 문자 알림이 왔다.

[Web발신]

00 교육지원청 안내

학원의 설립 운영 및 과외교습에 관한 법률 시행령 개정(교습비 등 반환 기준) 알림 및 휴원 적극 권고. 국가 차원의 '강력한 사회적 거리 두기'가 연장됨에 따라 휴원 연장을 강력히 권고드립니다.

하루 동안 하려고 했던 휴원은 길어져서 기약 없이 문을 닫아버렸다.

우리 이제 뭐 먹고 살지?

　직장을 다니면 힘든 순간 가슴에 품고 있던 사직서를 집어 던지고 나오는 상상을 하는 것처럼 자영업자들도 잘되는 가게를 당당하게 팔고 해방되고 싶은 상상을 하곤 한다. 문제는 '잘되는 가게'라는 중요한 성립 요건이 필요할 뿐. 사직을 하건 폐업을 하건 이 질문을 머릿속에 딩 하고 떠올리면 불의를 보고도 참게 되고 힘든 순간이 와도 감히 그만둘 용기를 낼 수가 없다. 그것은 바로, '이제 뭐 해 먹고 살지?' 하는 막연한 두려움이 자리 잡고 있기 때문이다.

　빠르게 넘어가는 쇼츠를 보다가 마음을 때리는 영상이 있어서 10번도 넘게 돌려봤다. 어떤 사람이 등장하는데 등에는 사슬로 묶여서 멀리 못 가고 잡힐 듯 말듯 눈앞에는 낚싯줄로 돈다발이 대롱대롱 걸려 있어서 경주마처럼 그 돈만 바라보며 하염없이 뛰어간다. 그렇게 몸이 부서지라 달

리며 잡히지 않는 그 돈을 잡으려다가 백골이 되어 넘어지는 곳은 바로 낭떠러지로 파놓은 무덤이다. 절대 잡히지 않고, 잡은 줄 알았는데 이내 손에서 스르르 사라져 버리고 마는 그 돈더미 때문에 감정이입을 열심히 하느라 돌려보고 또 돌려봤다. 1분도 채 되지 않는 그 영상이 우리네 삶과 비슷해서 몇천만이 넘는 조회수를 기록하는 것 아닐까.

'이제 뭐 먹고 살지'가 해결되지 않으면 삶의 쳇바퀴를 쉽게 멈출 수가 없다. 하지만 자발적으로 사표를 내거나 가게를 정리하는 것보다 슬픈 것은 생각지도 못한 습격을 당했을 때이다. 삶을 잠깐 멈추고 주위를 둘러보는 준비를 하지 못한 상태에서 받은 타격은 생존의 살 떨리는 문제와 바로 직면한다.

가장이 쳐놓은 울타리 안에서의 '밥줄 끊김' 말고, 진짜 이거 아니면 안 되는 가장의 역할에 서서 이 생존 문제에 직면해 봐야 살 떨린다는 표현을 이해할 것이다.

학원을 휴원하고 이틀은 덤덤했다.

'이참에 푹 쉬지 뭐.' 잠깐 벌이가 없는 거라고 위안했다. 이제 뭐로 돈을 벌고 뭘 해서 먹고 살까 하는 걱정은 막연히 일어나지 않은 저 먼 세상 이야기가 아니었다. 당장 내 눈앞에 펼쳐졌고 그 불안감과 초조함은 3일 차부터 머릿속에서 팝업창처럼 떠오르더니 다른 모든 생각을 전부 잠식해 버렸다.

이때 자영업자의 치명적인 치부를 알아버렸다. 잘되면 직장 다니는 것보다 많이 버는 것은 사실이지만 잘 안됐을 때는 0이 아니라 마이너스에서 시작한다. 임시 백수가 된 이틀은 늦잠도 자고 넷플릭스 시리즈도 신나게 이어서 봤다. 3일 차, 더 이상 잠이 오지 않았다. 눈을 감아도 자동으로 다시 떠지는 것을 반복하다가 일어나 식탁에서 노트북을 열었다. 구인 구직 사이트를 검색했다. 일단 언제 학원을 다시 열게 될지 알 수가 없으니, 장기적으로 일하기는 어려울 것 같고 일용직 카테고리를 클릭해서 열어 보았다. 로딩되는 동안 안경을 찾아 쓰고 밑으로 펼쳐지는 구인 광고를 읽어 내려갔다.

구인 글 수십 페이지를 읽어보았다. 이력서를 쓸 때마다 지난 삶에 대한 회의가 드는 것은 경력에 쓸 내용이 적은 것도 있지만 자격증에 적을 수 있는 공인된 자격증이 '운전면허증' 밖에 없다는 것이다. 보잘것없는 경력에 잘하는 교집합도 없는 나와 남편에게 유일한 조건 충족되는 일이 있었다. 자차가 있으면 가능한 쿠팡이었다. 나중에 안 사실이지만 우리가 쿠팡 배달을 하러 갔을 무렵 지인들의 지인도 많이 다녀왔다고 한다. 쿠팡 센터를 여러 번 방문하는 동안 아는 얼굴은 못 봤는데 우리처럼 간절한 사람들이 더러 있었다니 위안이 되었다.

"여보, 쿠팡 배달하러 갈래?"

최대한 밝고 신나게 물었다. 남편이 피식거리고 웃더니 가 겠단다. 낮과 야간의 배달을 선택할 수 있었는데 혹시, 정 말 혹시나 학부모님들을 만나게 될까 봐 야간 배달로 신청 했다. 오후 9시에 집합해서 물량을 받고 배정받은 물건들 을 주문한 가정에 배달하면 집으로 돌아올 수 있었다. 결혼 하고 같이 살면서 수많은 일상을 함께 보냈는데 쿠팡 배달 하던 때를 회상하면 슬펐다기보다 '풉' 웃음이 나온다. 코 스를 모를 때는 골목길에서 실어 놓은 짐을 다 뺐다가 다시 넣기도 했는데 똑같은 실수를 하지 않으려면 배달하는 제 일 마지막 코스의 물품을 안쪽에 실어야 했다. 승용차에 효 율적으로 짐을 실으려고 요리조리 넣었다 뺐다 했던 기억 도 소중한 추억이고 밤샘 배달로 동이 트는 것을 보며 집으 로 운전해서 돌아온 것도 우리 둘만의 추억이다. 꽤 배달을 많이 해서 귀가하는 날에는 해장국집에 들러 콩나물국밥을 한 그릇 먹었고, 일을 하고 난 뒤 저녁 무렵 띠링띠링 쿠팡 입금 문자가 오면 "오늘은 내가 쏜다." 하며 마트에 장을 보러 신나서 나섰다.

우리가 어려울 때 쿠팡 배달은 든든하게 우리 생활을 책임 져줬다. 최대한 몸을 움츠렸고, 노동은 머리 안에서 뱅뱅 도 는 고민을 날려주었다.

딱 한 번 분위기가 심각해졌던 적이 있다. 거의 다 배달해 가는 중에 둘 다 너무 지친 상태에서 한라동서타운의 101

동 찾기가 그 새벽에 우리의 최대 고민이었다. 도대체 '한라' 101동은 어디에 있는 건지. 두 건설사가 합심해서 지은 건 알겠는데 왜 각각 101동이 있냐고. 101, 102, 103 숫자가 너무 많잖아? 동서 101동 10층 문 앞에 두고 한참을 걸어왔는데 잘못 배달을 했다. 다시 올라가서 가지고 내려와 문제의 '한라' 101동을 찾는 도중에 남편이 휴대전화를 아스팔트에 떨어뜨렸다. 휴대전화 떨어뜨림, 입에서 욕 발사가 조건 반사적으로 거의 동시에 나왔다. 액정 수리에 드는 비용은 이 모든 노동을 말짱 도루묵을 만들어 버리는 일이었다. 싸한 분위기 속에 남편이 차 트렁크를 한 손으로 짚고 휴대전화를 줍는 기억이 생생하다. 다행히 휴대폰 액정은 괜찮았다. 운 나쁘게 깨졌으면 그날 배달이 나쁜 기억으로 남았을까.

집으로 오는 앞산 순환로에서 일하느라 못 읽은 카톡 메시지 중에서 초저녁 민하에게 온 음성 메시지를 열었다.

"선생님 코로나 때문에, 선생님 못 보고 있는데, 선생님 보고 싶어요. 선생님 잘 있지요? 저도 잘 있어요. (음성 메시지 속 민하 어머님: 선생님 다시 만나요 해) 선생님 다시 만나요. 사랑해요."

부끄러워하면서도 강단 있고 똑똑히 말을 전한 민하의 음성을 듣는 순간 눈물이 터져 나왔다. 우는 모습을 남편한테 들킬까 봐 들썩들썩하는 숨을 삼키느라 애를 썼다. 보조석 아직 해가 뜨지 않아 캄캄한 창밖을 바라보며 찹쌀떡을 삼키듯이 버거운 침 삼킴을 꿀떡꿀떡하면서 눈물 속에 걱정도, 오늘 몸이 고단했던 것도, 미래에 대한 불안감도 모두 털어냈다. 그리고 학원을 못 여는 동안 내가 무엇을 할 수 있을지 골똘히 생각했다.

그것은　바로,

'이제　뭐　해　먹고　살지?'　하는

막연한　두려움이　자리　잡고　있기

때문이다.

시간이 많아 시작한 스마트스토어

 내가 직접 자영업을 해보기 전에는 보이지 않는 비용에 대해서 전혀 몰랐다. 특히 브런치 카페의 메뉴 가격에 대해서 이견이 있었는데 직접 만들어 먹어보면 별것 없다는 생각과 함께 원가 계산을 해보게 되었다. 겪어보지 않아도 아는 사람이 있고 직접 피부로 느끼지 않으면 모르는 사람이 있듯 나는 후자여서 왜 자영업자들이 "남는 게 없다"라는 말을 입에 달고 사는지 이제는 알겠다. 식자재 가격 대비 높은 가격을 받는 이유는 카페의 인테리어 비용, 월세, 전기세, 수도세를 포함한 고정비용과 함께 인건비, 총비용의 10% 부가세, 카드 수수료 그리고 식재료의 재고 비용까지 포함되어 있기 때문이다.

 나의 적극적인 추천 때문에 절친한 친구 은미도 학원을 열었다. 나는 인테리어도 직접하고 매달 지불 해야 하는 미술학원 프랜차이즈 비용이 부담이어서 브랜드 없이 시작했다. 친구는 신식 상가 건물에 인테리어도 전문가에게 맡겼으며 프랜차이즈 지점 오픈이라 시작하는 처지에서 투자비용이 몇 배는 높았다. 게다가 매달 지급해야 하는 프랜차이즈 가맹 비용과 차량 운행에 따른 기사님 월급, 선생님 두 분의 월급까지 가만히 숨만 쉬어도 지출이 된다고 했다. 코로나로 둘 다 너무 힘들 때 학원 차리는 걸 추천한 내 잔망스러운 입을 얼마나 후회하고 친구에게 죄책감이 들었는지 모른다. 어떤 달은 친구가 본인의 인건비용을 넣지도 않았는데도 마이너스를 기록하면 한 달간 도대체 뭐했는지 허망하다고 했다. 이 친구를 포함한 세 명은 요즘도 매주 목요일 오전에 책 미팅을 온라인으로 하고 있는데 직장 생활을 하는 한 친구를 부러워하면서 "나도 월급 받고 살고 싶다"라고 내뱉곤 한다.

자영업을 해본 소감을 한 문장으로 요약하면 '사장님이 되기로 했다면 그 왕관의 무게를 견뎌라.'이다. 달콤한 사장님이라는 호칭을 듣기 위해서는 뒤따르는 책임감이 어마어마하기 때문이다. 그럼에도 사장님이 되고 싶다면 이인애 작가의 '안녕하세요, 자영업자입니다'라는 소설책을 꼭 읽어보라고 추천하고 싶다. 그의 책을 읽으면서 많이 공감하면서 학원을 시작하기 전에 이 책을 읽었어야 했다고 생각했다.

학원 문을 닫고 장기적으로 일을 할 수 있는 회사에 취직할지 고민하다가도 투자한 비용을 회수하지 못한 상태에서 폐업할 수는 없었다. 임시 백수 생활에서 할 수 있는 노동 수입인 쿠팡 배달과 함께 이런 상황이 또 닥쳤을 때를 대비해서 근본적인 문제를 해결해야 했다. 불현듯 스마트 스토어 생각이 났다. 사실 그전에도 스마트스토어는 취미 생활로 하고 있었는데 '어떻게 검색해서 주문하셨지'하는 생각이 들 정도로 주문이 가뭄에 콩 나듯 들어오면 정말 신기했다. 이것도 팔릴까 하는 호기심에 올린 판매 상품의 주문은 나에게 소소한 행복이었다.

학원을 운영하면서 올렸던 스마트스토어 판매 아이템은 두 가지였다. 한 가지는 머리가 복잡할 때 취미처럼 재봉틀로 만드는 삼베 수세미였다. 한창 재봉틀로 만드는 것에 재미 붙일 때 가입했던 커뮤니티에서 솜씨 좋은 분들의 패브릭 소품을 구경하다가 어떤 분이 삼베로 수세미를 만드시는 것을 봤다. 친환경적이고 삼베의 까끌까끌한 면이 설거지할 때 편할 것 같아 처음에는 내가 쓸 목적으로 삼베를 몇 마 구매를 해서 만들어 보았다. 설거지를 해보니 생각보다 음식물이 잘 닦였고 거품도 잘 나서 스마트 스토어에 연습하듯 올려보았다. 달인과 같은 사람들이 천지여서 형편없는 내 실력이 내심 걱정이 되어 남편의 의견을 물었다.

"여보, 삼베 수세미가 팔려 나갈까?"

"솔직하게 얘기해줄까, 기분 좋게 얘기해줄까?"

"솔직하게 이야기해 줘."

"나 같으면 안 사. 공장에서 잘 만들어진 거 나오는데, 이 부분 봐봐. 삐뚤삐뚤한데?"

괜히 물었다고 생각했지만 엄연한 사실이었다. 핸드메이드라며 두리뭉실하게 판매하기에는 프로답지 못했다. 해결책은 두 가지. 짧은 시간 내에 엄청나게 실력이 향상되어 '기계로 만든 거 아니야? 수작업으로 이렇게 만들었다고?' 할 정도로 만들어내거나 대량으로 공장에 제조를 맡기는 것이었다. 잘 팔려나갈지 안 팔려서 재고만 쌓일지 어떻게 알고 수만 개씩 제작을 맡길 수 있을까. 나는 간이 너무 작아서 그럴 만한 배짱이 없다. 곰곰이 생각하다가 제작 과정과 함께 삐뚤삐뚤하게 박음질이 된 부분을 클로즈업해서 상세 페이지에 아래 설명과 같이 올렸다.

"삼베 수세미를 직접 써보니 좋아서 만들어 팔게 되었는데, 전문가가 아니어서 이렇게 박음질이 고르지 못할 수 있으니 꼭 확인하시고 주문 주세요 :)"

나라면 얼마에 이 삼베 수세미를 살지 고민해 보고 가격을 책정했다. 1개 2,500원인데 4개 1만 원에 사시면 1개 덤으로 줘서 총 5개 1만 원. 사실 6겹 삼베 수세미여서 삼베 원

단 원가 대비 판매마진은 50%도 되지 않았던 것 같다.

삼베 수세미 아이템은 총 10번 정도 주문이 들어왔던 것 같은데 검색해서 이렇게 주문을 주신 것만 해도 너무 신기했다. 이런 보잘것없는 실력으로 만든 제품이 팔려나가다니. 심지어 주문해 주신 고객들은 별점도 4.5에서 5점을 주셔서 평점이 좋았다. 그중에 한 분은 네이버 채팅으로 연락을 주셔서 혹시 이 삼베로 샤워 타월도 만들어 줄 수 있는지 여쭤보셨다. 그래서 맞춤 제작을 한 삼베 샤워 타월을 만들어 보내드렸는데 까끌까끌한 소재 덕분에 때수건을 안 써도 된다고 좋아하셨다. 재구매를 해주셔서 감사한 고객이었다.

또 한 가지 아이템은 미술학원에서 하는 성인 미술 수업 판매였다. 주말이나 아이들의 수업이 없는 저녁 시간에 진행하였는데 캔버스 조명을 만드는 수업이 제일 인기가 좋았다. 겨울에 특히 수업 신청이 있었는데 커플이 같이 와서 데이트 코스로 수업하거나 친구끼리 와서 선물용으로 많이 제작했다. '대구미술수업', '대구 데이트 코스', '캔버스조명수업' 과 같은 키워드로 일반인뿐만 아니라 공기업 및 사기업의 직원 복지 수업으로도 진행할 수 있었다.

이렇게 소소하게 주문을 받을 수 있는 플랫폼 사업을 취미 생활로 이전에 해봤기에 시간이 많아졌을 때 자연스럽게 판매 상품을 추가해 본다는 접근이었던 것 같다. 가뭄에 콩 나듯 드문드문 들어오는 주문이라면 드물게 판매가 되는 상품의 가짓수를 늘리면 되지 않을까 하는 생각에 도전할 수 있었다.

앞서 열심히 자영업자의 비애에 관해서 썼던 글처럼 아이템 선정이 있어서 제일 중요한 조건은 '재고 부담이 없는 것'이었다. 흥망에 대해서 확신을 할 수 없는 상태에서 투자하고 싶지 않았고 시간적인 투자는 얼마든지 할 수 있지만, 자본을 투자하지 않고 할 수 있는 아이템.

그것이 가장 중요한 점이었다.

'내가 뭘 할 수 있을까.'

'내가 가진 능력이 뭘까.'

미술 수업처럼 매번 시간과 노동을 들여서 해야 수입이 발생하는 것 말고 최초의 노력 한 번으로 할 수 있는 아이템은 뭐가 있을까.

당시 내가 가진 것은 시간밖에 없었기 때문에 머리를 싸매고 열심히 고민했던 것 같다.

그런 고민과 함께 민하의 음성 메시지가 준 동기부여로 온라인 미술 수업을 해야겠다고 결심했다. 지금이야 줌, 위벡스 같은 온라인 화상 앱이 일반화되었지만, 당시는 거의 없을 때여서 온라인으로 해야겠다고 생각하고 무슨 플랫폼을 이용할지 몰라서 '온라인 수업', '화상 수업 프로그램', '화상 수업 가능' 등의 검색을 했을 때 한참 검색한 뒤에야 줌을 알게 되었다. 코로나 이후 너무나 익숙해진 줌 미팅이 당시에는 작은 기업이라 많이 이용하지 않았고, 코로나가 이회사를 엄청나게 키운 것이 틀림없다. 또한 코로나 이전에는 화상 미팅을 할 때 끊김 현상이 많았는데 전 세계가 코로나를 겪는 동안 화상 프로그램의 품질이 굉장히 좋아졌다.

한국의 화상 미팅 서비스 기업이 있는 줄 알았는데, 한글 서비스가 되기 전 줌의 시간제한이 없는 정액 결제를 했다. 곧 온라인 수업을 할 수 있는 프로그램을 만들고 공지 글을 띄웠다. 온라인 수업은 사명감에서 시작되었다. 미술 수업을 중단한 상태에서 아이들이 계속 미술적 자극이 있었으면 좋겠다는 마음과 함께 아이들이 보고 싶다는 마음이 컸다.

미술 수업을 짤 때는 아이들이 재미있어하는 수업으로 만드는 것이 가장 중요하지만 10분 만에 끝난다면 곤란하다. 아이들이 흥미롭게 그리거나 만들 수 있고 수업 시간 동안 집중해서 할 수 있으면서 내가 옆에 없더라도 화상 미술 수업이 가능한 것이 뭐가 있을까. 고민 끝에 초상화 쿠션 만들기, 도미노 게임, 가방 만들기, 신문지로 패션쇼를 하기로 커리큘럼을 짜고 신청자를 받았다.

따로 참가 수업 비용을 받지는 않았지만 처음 해보는 시도에 설렜다. 줌 미팅 특성상 많은 아이가 참여하면 수업 효율이 떨어지기 때문에 인원 제한을 했다. 감사하게도 대기자가 생길 만큼 많이 참여를 원했고, 참가자를 확정한 다음 날, 집에 있을 법한 재료 가위, 풀, 테이프 등을 제외한 4번의 수업에 필요한 재료들을 꼼꼼하게 준비했다. 쿠팡 배달을 해본 경험을 토대로 각 아이의 가정에 재료를 배달했다. 남편이 운전하고 아이들의 집에 배달할 미술 키트를 준비해서 현관에 걸어두었다.

아이들이 지금은 화상 수업이 익숙하지만, 그 당시 생전 처음 해보는 온라인 수업을 부끄러워했다. 하지만 집에서 하는 수업이라 편안하게 동생이나 언니, 오빠와 함께하면서 해맑게 웃는 모습에서 즐기는 것을 직감할 수 있었다. 모든 수업은 성공적이었는데, 특히 도미노 게임을 할 때는 형제나 자매랑 티격태격하면서 열정적으로 하는 모습이 귀여웠고, 신문지로 창작 패션쇼를 할 때는 기발한 아이디어를 내서 투표를 통해 1등에게 아이스크림 상품권도 시상했다.

집에서도 충분히 즐길 수 있음을 학부모님들은 즐거워했고, 나는 아이들을 이렇게나마 볼 수 있는 것이 좋았다. 그렇게 주 1~2회 미술 수업을 화상으로 하면서 삶의 활기를 얻을 수 있었고, 나머지 시간은 온라인 사업 아이템을 찾는

데 고심했다.

임시 백수 보름 차쯤 점심을 먹고 컴퓨터 앞에 앉았는데 갑자기 떠오르는 아이템이 있었다. 바로 인쇄 디자인이었다. 재고가 없어도 되고, 주문 시마다 제작하면 되기에 투자 자본이 없어도 가능했다. 컴퓨터만 있으면 어디서든지 일을 할 수 있었고 매달 고정적으로 드는 비용은 그래픽 프로그램 사용 비용뿐이었다. 손해 볼 것이 없기에 상세 페이지를 바로 제작하기 시작했다. 처음 만든 페이지는 명함디자인 샘플이었는데, 특정 브랜드의 영업사원용 디자인 30가지를 본보기로 만들었다.

소비자를 광범위하게 잡으면 더 많은 사람이 구매자가 되겠지만 아마 나의 판매 페이지는 10번째 페이지를 넘어가 있거나 그들에게 보이지도 않을 것이다. 특정 키워드를 검색했을 때 제일 상단에 보이려면 돈을 써서 광고하거나 많이 판매하면서 평점이 높아야 가능하다. 예를 들어서 '꽃집 명함'이라고 검색했을 때 소비자가 1에서 5페이지 안에 구매가 결정되는 확률로 봤을 때 그 안에 들어가려면 나 같은 생초보는 가능성이 거의 없다. 그래서 특정 브랜드 또는 경쟁이 적은 키워드를 대상으로 해야 한다.

행운이라는 것은 준비되어 있어야만 잡을 수 있다는 것을 머리로는 알고 있어도 상황이 각박하다 보면 선뜻 실천하기가 쉽지 않다. 당장 눈앞에 보이지 않기에 손을 놓고 있다 보면 문득 바로 앞에 예기치 않은 순간 다가와 있을 수 있다. 시간은 많고 할 일은 없었으며 아무것도 안 하고 있을 때의 무력감을 느끼기 싫었기에 채용된 직원처럼 묵묵히 디자인을 하나하나 하기 시작했다.

 온라인이라도 가게를 열어둬야 손님이 찾아와서 볼 수 있는데, 가게 문을 열지도 않으면 손님이 찾아와서 구경이라도 할 기회조차 없다. 그렇게 뚱땅뚱땅 온라인 비즈니스의 문을 열었다.

'내가 뭘 할 수 있을까.'
'내가 가진 능력이 뭘까.'

입소문으로 물밀듯 주문이

쇼핑몰이나 스토어에 상세 페이지를 만드는 일은 별것 아닌 것처럼 보여도 엄청 시간이 걸리는 일이다. 눈이 빠지게 모니터를 주시하다 보면 눈이 뻐근해져서 온종일 혹사한 눈에 미안할 지경이다.

처음 스마트스토어가 생겼을 때는 너무 느리고 임시 저장도 되지 않고 툭하면 화면이 멈춰서 486 컴퓨터 시대처럼 답답함을 느꼈다.

'판매자들의 고충이 정말 크겠구나.'

취미로 스마트스토어에 판매 상품을 올릴 때 느려서 속이 터지는 순간, 네이버가 진입 장벽을 이런 식으로 만들어 두나, 인내심과 끈기가 있는 사람들만 팔라고 이렇게 두는가 생각한 적이 있다. 특히 옷을 판매하는 사업자라면 디자인과 색상, 크기에 따라 옵션 지정이 기하급수적으로 늘어나기 때문에 착용 사진 촬영, 사진 보정, 사진 업로드와 같은 상세 페이지를 다 만들고도 끝이 아니다. 옵션 구성으로 넘어와 배수에 배수를 다 지정하다 보면 얼마나 헷갈리고 머리가 터질까. 그렇게 다 구성하더라도 빠진 것은 없는지 다시 한번 더 확인해 봐야 한다. 혹시나 치수가 오류 나거나 항목이 안 들어간 것은 없는지. 단 한 번 나도 상세 페이지 제작을 다 하고 저장을 누르는 데 공 굴러가는 로딩 이미지만 한참 보이더니 멈춰버린 적이 있었다. '설마 남아 있겠지.' 하고 다시 들어갔을 때는 새하얗게 공백으로 남아 있었고 인사이드 아웃 영화에 나오는 앵그리처럼 얼굴이 시뻘게졌다. 다시 처음부터 해야 한다니. 전체 과정을 한번 해봤기 때문에 처음보다는 조금 빠르지만 집어치우고 싶은 마음을 애써 꾹꾹 눌러야 한다. 이렇게 데이터가 다 날아간 경험을 한 사람이 많을지도 모른다. 그래도 다시 처음부터 하는 이유는 혹시나 우리의 생계를 책임져줄 페이지가 될지도 모르는 약간의 가능성과 다했는데 0이 되어버린 짜증나는 현재 상황에 오기가 생겨서이다.

품목이 몇 가지 없어서 다시 작업하기 막막한 정도는 아니어도 그 후로는 지레 겁먹고 수시로 저장 버튼을 강박적으로 누르게 되었다. 수백 개가 넘는 품목들을 올려야 하는 옷 판매자라면? 온종일 매달려서 거의 다 해 가는데 정성을 쏟아 부은 그 페이지가 저장도 안 되고 사라진다면, 컴퓨터를 부수고 욕하면서 집어 던진다고 하더라도 이해가 된다. 그 자리에 함께 있다면 그럴 수 있다고 공감할 거다. 그랬던 과거의 판매자센터는 내가 스마트스토어를 운영한 지 4년이 넘는 시간 동안 진화해 왔다. 자동 저장되지 않고 느려터진 상세 페이지 제작 서버도 진화하여 이제 자동으로 임시 저장을 해준다. 블로그처럼 시간 지연 없이 이용할 수 있고 판매자들의 편의를 위해서 날이 갈수록 서비스의 질이 좋아지고 있다. 이제 스마트폰을 이용할 수 있는 사람이라면 어렵지 않게 판매 물품을 올리고 판매를 개시할 수 있을 것이다.

한 브랜드의 영업용 명함 앞, 뒤의 디자인 30가지를 완성한 이후로 개별 주문 제작 정보만 넣으면 바로 제작이 가능하도록 폴더별로 간편하게 저장해뒀다.

명함을 주문하면 스티커도 주문할 것이라는 생각에 세트 판매가 가능하도록 3천 원 할인과 무료 배송 서비스도 같이 세팅했다. 명함과 스티커 제작이 가능한 스마트스토어 판매 페이지 2개를 만드는 데 며칠이 걸렸다. 처음에는 실력이 형편없어서 할 줄 모르는 것이 더 많았고, 일러스트 프로그램의 디자인 툴들은 유튜브로 배워가며 응용했다. 디자인 프로그램 수업을 다 듣고 해보겠다고 마음먹었다면 시작도 못 했을 것이라 장담한다. 통달한 다음에 실행에 옮기는 사람도 있겠지만 나라는 사람의 유형은 배우는 도중에 질려버렸을 것이다. 조립해야 하는 장난감이든 DIY 가구든 설명서를 다 읽고 해보는 사람도 있지만 나 같은 사람들은 일단 감으로 조립을 먼저 해보고 만다. 설령 나중에 해체하고 다시 조립하는 한이 있더라도.

무엇보다 뭐라도 해야 한다는 간절함과 함께 수입을 바로 만들어내고 싶다는 바람이 있기에 가능했다. 죽이든 밥이든 만든 다음에는 죽이 안 되려면 물의 양을 얼마나 줄여야 하는지 알 수 있게 되고 또 그 다음 번에는 알맞게 찰진 밥을 위한 물의 양을 가늠해 볼 수 있는 연습을 이미 여러 번 해본 것이다.

실전 경험을 해볼 수 있다는 것은 굉장히 감사한 일이다. 주문이 들어오게 되면서 최적의 색상을 찾는 일과 하면 안 되는 일들을 자연스레 익히게 되었다. 예를 들면 종이 명함 배경 전체가 검은색인 명함일 때 K100으로 색상 값을 지정해 주는 것이 좋다. 주로 인쇄에서 사용되는 4색의 조합을 CMYK라고 하는데 CYAN(시안), MAGENTA(마젠타), YELLOW(노랑), BLACK(검정)을 조합하여 인쇄하게 된다. 이때 K(검정)값을 100으로 설정해 주어야 한다는 것인데, 눈으로 보기에는 다 똑같이 보이는 검정이라도 색상 값을 열어서 보면 C, M, Y의 색상이 어지러이 분포된 경우가 많다. 즉 C, M, Y는 0%, K는 100%를 만들어야 하는데, 네 가지 모두 높은 비율로 색상 값이 들어가 있는 것이다. 이렇게 해도 배경이 검정인 명함이 만들어지기는 하지만 이 경우 생기는 문제는 바로 앞장의 명함 뒷면에 덜 마른 검정 잉크가 찍힌다는 것이다. 색상 값이 다 들어가게 되면 잉크가 마르는 속도가 현저하게 느려서 한 합판으로 인쇄되어 재단하는 합판 명함의 특성상 기계가 자동으로 재단해서 착착 쌓을 때 건조가 덜 된 잉크가 뒤에 오는 종이에 묻는다. 이런 경우는 제작을 맡긴 디자이너의 실수여서 인쇄소에서는 데이터 오류로 인한 재작업이 어렵다.

이 외에 재단이 밀릴 수도 있기에 라인이 들어가는 디자인의 제작 방법, 명함의 가장 적절한 글자 크기, 모니터와 실제 인쇄된 색상의 차이 등의 여러 가지 시행착오를 겪고 알게 된 것들이 내 밥줄을 끈질기게 이어지도록 도와주었다. 물론 디자인 회사에 다녔다면, 선배가 있었다면 노하우를 배워서 실수 없이 습득했을 것이다. 하지만 잘못 나온 명함은 폐기하면서 손해를 보며 지불한 값진 경험들이라서 더 가슴에 새기지 않았을까.

어떤 물건이나 서비스든 처음에 판매할 때 제일 중요한 문제는 어떻게 홍보할 수 있을까이다. 처음 모 브랜드의 영업

명함 페이지를 만든 직후 지인을 동원해서라도 몇 명만 주문하면 소문이 날 것 같아 그 직종의 사람들을 찾았다. 인스타그램에서 얼마 전부터 그쪽 일을 하던 옛 친구가 생각이 났는데, 연락하기가 망설여졌다. 몇 년 동안 연락이 없다가 갑자기 연락하기가, 그것도 안부 연락도 아니고 필요에 의해서 연락한다는 게 성격상 어려웠다. 스마트스토어 판매 페이지를 다 만들어둬도 구매 건수가 하나도 없으면 사람들이 주문을 하지 않는다. 나조차도 구매 후기가 하나도 없는 물건은 모험하고 싶지 않아 이미 사본 사람이 제법 있는 판매자에게 구매한다. 그래서 많은 판매자가 처음에 구매 이벤트를 하기도 하고 오프라인 매장에 온 손님이라도 온라인 구매를 권장하기도 한다. 구매 고객 수 0건으로 떠 있기를 며칠째, 남편이 쿨하고 힙하게 그 친구에게 물어보라고 나를 설득했다. 지금도 그때 자기가 연락하도록 권했기 때문에 지금의 우리 회사가 있는 거라고 입버릇처럼 말하는데, 사실 남편이 적극적으로 권유하지 않았다면 연락을 안 했을지도 모른다.

　일주일 동안 주문이 없자 절박해진 나는 눈 질끈 감고 그 친구에게 연락했다. 남편 말대로 '필요하면 하는 거고 필요 없으면 하지 않겠지. 나는 내가 이 일을 시작했다고 정보를 알려주는 거야'라고 되뇌며 카톡을 남겼다. 이번에 디자인 일을 시작했는데 명함과 스티커 주문이 가능하다고, 네이

버 주문이 가능하도록 페이지를 만들었다고 보냈더니 친구가 연락이 왔다.

"잘됐다, 몇 사람이 물어보던데. 단체 카톡방에 공유해볼게. 내가 소개한 사람들은 서비스 잘 부탁해."

두드리는 자에게 복이 오나니. 안 그래도 필요한 참이라고 했다. 연락하길 정말 잘했다고 생각하며, 한번 주문한 사람이 어떻게 하면 주변에 소개를 해주는지 고객 감동 서비스를 어떻게 할 수 있는 것인지 고민했다.

처음에는 그 브랜드의 명함 제작 판매 페이지가 나밖에 없었다. 000 명함이라고 검색했을 때 내가 만든 페이지가 제일 상단에 떴고 덕분에 선점했다. 그러나 나중에는 열 페이지에 임박할 정도로 경쟁업체가 늘어났다. 잘된다 싶은 모든 업종은 경쟁자가 생기기 마련이지만 그 경쟁에서 지지 않으려면 가격이 싸거나 유일무이하거나 서비스가 좋아야 한다.

나는 서비스에 약하다. 티셔츠 하나를 주문하더라도 사장님이 손 글씨로 예쁘게 쓴 스티커에 머리끈 서비스가 소소하게 같이 배송해 오면 마음이 따뜻해지면서 '이렇게 세심하다니' 감동한다. 명함이나 스티커, 전단과 같은 인쇄물을 하는 디자인 업체는 정말 많지만 나에게 꾸준히 주문하는 단골손님들이 있는데, 그들이 소개하고 나에게 주문하는 이유는 세심하게 챙긴 서비스가 8할이라고 자신 있게 말할 수 있다.

제약회사, 정수기 임대 서비스 회사, 자동차 회사 등 명함 또는 스티커를 주문하는 나의 고객들은 제품을 설명하는 브로슈어도 돈 주고 사거나 제작해야 하고, 각인이 되어 있는 펜이나 물티슈와 같이 나눠주는 서비스에도 다 비용이 든다. 자주 쓰는 실용적인 펜과 물티슈 같은 물건을 드리는 것처럼 나도 주문한 고객들이 필요한 어떤 것을 드리고 싶었다. 그래서 주문이 많거나 늘어나고 있는 브랜드는 브로슈어를 직접 제작해서 서비스로 나눠주었고, 반응이 좋아서 직접 살 수는 없냐는 문의에 브로슈어도 소분해서 판매를 시작하게 되었다.

고객이 신경을 못 쓰더라도 내가 꼼꼼하게 시안을 확인했다. 고객이 인스타그램 아이디나 계좌번호를 명함에 넣을 때 시안을 보자마자 "제작 들어가 주세요." 하는 답변을 빠르게 남길 경우 오타가 있는지 확인 부탁한다고 한 번 더 말하거나 SNS 앱에서 그 계정이 있는지 직접 확인했다. 만약 내가 오타가 있는 것을 확인하고 고객에게 말해주어 수정해서 제작에 들어가는 경우는 대부분 주변 분을 소개해 주셨다. 그렇게 소개가 난 일반 소수 업종, 예를 들면 꽃집이나 인테리어 업종, 음식점, 애견샵 등의 주문이 있을 때면 유용하게 쓸 수 있는 디자인 노트, 메모지, 포스트잇을 예쁘

48

게 디자인하여 아주 조그맣게 우리 회사의 로고를 넣어 제작해서 같이 보내주었다. 평소에 쓰시라고 보내드렸지만 예뻐서 본인 이름을 넣고 제작할 수 있는지 문의하시면서 추가 주문도 이어졌다.

그러한 노력으로 평균 평점 4.9를 유지하고 있는 스토어의 판매 페이지에 달린 수천 개의 리뷰 중에 가장 많이 달리는 것은 두 가지다.

'늘 사장님이 깔끔하게 보내주세요.'

'서비스를 많이 주셔서 좋아요'

하지만 고객의 모든 요구사항을 다 들어주지는 않는다. 어떤 고객은 수없이 수정을 반복하다가 결국에는 처음 시안으로 돌아오는 경험을 여러 번 하다가 제명에 못 죽을 것 같았다. 이후 디자인 수정 제한을 했고, 과한 요구는 정중하게 거절한다. 하지만 절대 놓칠 수 없는 서비스 관리 중의 하나는 일을 깔끔하게 처리한다는 것이고 하나는 '뭐라도 서비스로 보내드리자'이다.

정리 정돈 강사와 정리·청소 업체 운영을 같이하시는 단골손님분이 계시는데 명함을 보내드리는 날 하필 메모지가 다 떨어졌다. 보내 드릴 만한 서비스가 없어서 내가 쓰려고 사둔 핸드크림을 같이 보내드렸다. 이미 택배비가 서비스이고 다른 곳보다 싸게 금액을 책정했다는 것을 알고 있어도 주문하신 물품만 달랑 보내는 게 어렵다. 그렇게 함께 보내는 소소한 서비스는 필수 조건이 되었다.

 처음에는 하루 7건, 시간이 지날수록 하루에 30~40건씩 주문이 밀려 들어오기 시작했다. 제품을 이미 가지고 있으면 운송장을 출력하고 제품을 포장만 하면 되는데 인쇄물 주문이라는 것이 개별 제작이다 보니 주문 순서대로 시안을 주고받고 확정해야 다음 주문 건으로 넘어갈 수 있게 된다. 디자인 실장은 단 한 명, 나밖에 없어서 밤 12시, 늦으면 새벽 2~3시에 그날 일이 끝나기도 했다. 밤늦게까지 작업이 가능한 것을 아는 고객들은 그들 역시 여유가 생기는 밤에 주문 연락이 직접 오기도 했다. 새벽 3시쯤 작업을 끝내고 판매 관리자센터를 마지막으로 확인하면 새로운 주문이 들어와 있을 때도 있다. 스마트스토어는 고객이 결제를 끝내고 20분 후에 앱 알림이 온다. 그 시간에 주문 주시는 분은 나보다도 더 바쁘게 하루를 보내고 아직 잠 못 이루고 있는 고객이었다. 다음날 시안을 주면 바쁘신 와중에 확인하셔야 한다는 생각에 시안을 드러놓고 잠자리에 들었다. 자고 일어나 확인하면 늦은 시간에 죄송하고 감사하다는 답변이 와있었다. 이심전심, 내가 하고 싶었던 말이었는데, 고마운 분이었다.

바빠서 피곤하지만, 통장에 돈이 쌓여 가는 것은 정말 즐거운 일이었다. 생애 최고의 수입을 버는 나날들이었다.

일만 하지만 행복해

1. 일이 너무 많아서 고되지만, 수입은 많다.
2. 일이 없어 몸은 편안하지만 궁핍하게 살아야 한다.

이 두 가지 선택지가 있다면 1번을 택할 것이다. 차라리 몸이 부서지라고 일을 할 거다. 코로나로 쉬는 동안 몸이 힘든 것보다 마음이 힘든 것이 더 견디기 힘든 것을 경험했다. 결핍 뒤에 원하던 것이 찾아오면 그 소중함을 알 수 있어서 결핍이 존재하는 것일까.

몇 달간의 학원 휴원 기간이 지나고 학원 수업을 재개하게 되었다. 학원 수업과 병행해서 디자인 회사를 이어 나가게 되었는데, 코로나로 힘든 시기를 넘기고 난 뒤의 학원 원생은 점차 늘어 다시 50명 제한 인원까지 차게 되었다. 더불어 디자인 회사는 월평균 매출이 지난달을 갱신하고 있었다.

그때의 일과는 이랬다.

8:00 기상과 동시에 주문 확인 및 송장 출력, 디자인 작업
11:30 식사, 샤워
12:40 학원 출근
13:00 첫 타임 수업 시작
18:00 학원 수업 끝, 저녁 외식
19:30 저녁 시안 작업 시작
2:00 컴퓨터 작업 마무리 후 남편과 택배 작업 마무리

이렇게 바쁜 하루를 보낸 후 베개에 머리가 닿기만 하면 바로 잠들었다. 학원에서는 아이들 가르치는 일에 집중했고, 집으로 돌아오면 밀린 디자인 일에 에너지를 쏟았다. 학원의 미술 재료나 택배 상자, 박싱 테이프 등의 필요한 물품들은 차를 타고 이동하는 시간에 주문했다. 정신없이 하루가 흘러가서 샤워 후에 머리를 말릴 틈이 없었고, 어떻게 옷을 입을지 코디해 볼 시간도 없이 교복처럼 입던 옷만 입었다.

1분 1초 할 일이 밀려 있어서 '나중에 해야지' 미룰 수 있는 것이 없었다. 덕분에 비교적 주문이 적은 주말에는 통잠을 잘 수 있었는데 남편이 깨우지 않으면 일요일 오후 5시까지 깨지 않고 자는 것도 가능했다.

'나도 이렇게 돈을 많이 벌 수가 있구나, 그런 일이 가능하구나.'

뿌듯했다. 너무 바빠서 유튜브 볼 시간도 없고 드라마 볼 시간이 없어도 행복했다. 온종일 컴퓨터 화면만 들여다보다가 눈을 돌렸을 때 시야가 흐릿하고 멍해도 좋았다. 바쁘다는 것은 살아있다는 느낌을 들게 해주었으니까.

학원을 개원하고 학생이 등록하기만을 기다리던 시절, 이런 소원을 빌었던 적이 있다. '하느님, 부처님, 천지 신령님 학생들이 제 수업을 들으러 와주기만 한다면 최선을 다해서 가르칠게요.' 간절함을 머리에도 새기고 가슴에도 새겼다. 그러다 소원이 이루어졌을 때, 조금이라도 귀찮은 마음이 들면 스스로에게 부끄러워 호통쳤다. '인마, 너는 개구리 올챙이 때 생각 못 하고...'
최선을 다하지 않아도 다른 사람은 모를 수 있다. 하지만 자신을 속일 수는 없을 거다.

학원 운영을 하면서 원생이 많아지게 되고, 디자인 회사의 주문 건이 많아진 요인에는 운도 따랐겠지만, 중요한 의무 사항이 있다. 아무도 찾지 않고 아무도 오지 않을 때도 묵묵히 문을 열어두었다는 것이다. 원생이 아무도 없을 때부터 원생이 한 명, 두 명 등록하면서 입소문이 나기까지 학원 여는 시간을 꼭 지키고 조금 일찍 퇴근하고 싶은 꾀가 생겨도 마치는 시간까지 남아 있었다. 그런 소소한 성실함이 모여서 앞으로 나아갈 수 있다고 생각한다. 그런데 암흑같이 어두운 미래밖에 보이지 않는데 성실하게 계속 반복할 수 있는 힘을 기르는 일은 쉽지 않다.

KFC의 창업자인 커넬 샌더스에 관해서 이야기해 보겠다. 그는 40세에 샌더스 카페를 처음 개업했다가 화재로 전소되었고 2년 뒤에 다시 식당을 오픈했지만 실패해서 빈털터리가 되었다. '나는 안되는 사람인가 봐.' 하고 좌절할 법도 한데 그는 치킨 요리 비법을 계속 연구하고 개발했다. 식당을 창업할 형편이 되지 않아서 그의 레시피대로 음식을 만들 식당을 찾아 미국 전역을 돌아다녔다. 1008번의 거절을 당하고서야 1009번째 피트 하먼을 만나 샌더스의 조리법을 택하기로 했다. 그렇게 탄생한 것이 전 세계 1만 개 이상의 매장이 있는 프랜차이즈 KFC이다. 이러한 성공 신화를 들어보면 나도 할 수 있을 것만 같다. 장밋빛 미래를 꿈꾸며 시도를 해보지만 서너 번 실패하다 보면 좌절하게 된다.
 안 되는 것을 될 때까지 희망 고문하며 시도하라고 말하고 싶은 것이 아니다. 내가 버틸 수 있었던 것처럼 단지 조금만 생각을 달리 하기를 권하고 싶다.

 남편의 인생 모토는 '일희일비하지 말자.'이다. 그는 기뻤다가 상황에 따라 슬펐다가 순간순간 감정이 변하지 않고,

기쁘거나 슬픈 일이 있어도 평정심을 잃기 싫어하는 사람이다. 그런 그가 쇼펜하우어의 철학을 배우더니 더 확고한 신념이 생겼다. 일희일비를 가장 잘 보여주는 사람이 나였는데 남편에게 배운 삶의 태도는 바로 '절망은 당연한 것'이었다. 흔들리지 않는 인생은 없고 자주 절망하는 것이 당연하며 가끔은 행복해도 된다고 뒤집어 생각하는 것이다. 행복한 것이 당연한 것이 아니라 불행이 기본값이라고 여긴다면 덜 불행하다. 만약 오늘 최악의 하루를 보냈다면 내일은 최악 중의 최악을 보낼지도 모른다. 그것을 인지하고 있다면 지금의 불행이 불합리한 어떤 것이 아니라 적당히 버텨낼 수 있는 힘을 얻을 수 있다.

힘들 때 최악으로 치닫지 않고, 좋을 때 너무 좋아하지 않는 삶의 자세. 적당하게 마주하라는 쇼펜하우어의 말을 따라보면 나쁜 순간에도 위안을 얻지만 좋은 일이 생겼을 때 자각하게 된다. 오늘의 성공은 내일의 나와 함께 해주지 않는다. 늙고 병들어 힘들 때 가장 힘들게 하고 나를 비난하는 것이 바로 오늘의 성공이라고 한다.

일희일비하지 않는 자세. 어렵지만 내 삶의 균형감을 잘 잡고 가려면 반드시 따라야 하는 삶의 지혜이다.

만약 휴원을 안했다면...
처음 느껴본 경제적 자유

 나는 돈이 주는 속박 감을 잘 안다. 따뜻하고 안전했던 어린 시절을 보내고 대한민국에서 IMF는 우리 집에도 엄청나게 큰 영향을 주어 현실에 눈을 뜨게 해주었다. 처음 느껴본 경제적 자유에 대해서 말하기 전에 경제적 자유가 없었던 삶에 대한 설명이 필요할 것 같다. 돈이 없으면 친구를 만나는 일도, 외출을 하는 것도 자유롭지 않다. 외출을 하면 무조건 지출이 생기기 때문이다. 친구와 만나 밥을 먹고 커피를 마시는 것도 돈이 없으면 부담스러운 약속이 된다. 모든 일상의 우선순위에 가격이 얼마인지, 돈을 얼마나 쓰는지가 중요했다. 예전에 연예인 누군가는 인기를 얻고 나니 매대에 깔린 철 지난 옷 대신 매장에 걸린 옷을 가격표도 보지 않고 살 수 있어 행복했다는 이야기를 들은 적 있다. 나는 가격표를 보지 않고 음식점에 가서 먹고 싶은 음식을 시킬 수 있다는 것이 제일 가슴 깊이, 크게 와닿은 경제적 자유였다.

부유하게 어린 시절을 보낸 후 갑작스럽게 집이 쫄딱 망해버리고 중학교에 입학하게 되었다. 첫 등교 전 예비 소집 때 나눠준 종이에는 양말은 흰색, 신발은 검정 계열의 구두를 신어야만 한다는 규정이 있었다. 아빠와는 떨어져서 살고 엄마는 빚을 갚는 것 말고는 다른 어떤 것도 신경 쓸 여력이 없어 보여서 시장에서 쌈짓돈으로 14,000원에 검정 구두를 하나 샀다. 여유로워 보이는 친구들이 끈이 있는 구두, 지퍼가 있는 구두 등 종류별로 가지고 있어 다른 신발을 신고 등교할 때 나는 뻔질나게 그 구두만 신고 다녔다. 다른 선택지는 없었으니까. 당시에는 버스비가 350원이었다. 오전에 등교할 때는 버스를 타고 가고 하굣길에는 걸어오곤 했다. 어느 날 장대비가 억수같이 오는 날이었는데 교실에 들어서서 보니 양말이 축축하게 젖어있었다. 오른쪽 구두의 안쪽에 밑창과 구두 위쪽 부분이 분리되어 그 사이로 비가 새어 들어온 줄도 몰랐다. 나의 발이 되어주던 그 구두는 수명을 다했다. 그런데 그 후로도 한참을 신고 다녔다. 비만 오지 않으면 딱히 불편한 것도 없었기 때문에 애써 모르는 척했던 것 같다.

 어려운 살림에 외식한다는 것은 상상할 수가 없었다. 초등학생 때 일주일에 한 번 이상은 숯불갈비 집에 가서 고기를 먹었던 기억이 있는데 중학교, 고등학교 다닐 때는 상상할 수 없는 일이었다. 가족과 외식했던 기억을 아무리 떠올려 봐도 없었던 것 같다. 그건 남편도 마찬가지였는데 남편이 한창 클 때 매끼 식사 때는 반찬이 전부 김치라고 했다. 총각김치, 배추김치, 물김치, 부추김치, 콩나물무침. 남편 역시도 외식하는 일은 거의 전혀 없었다고 했다. 재미있는 일화가 있는데 얼마 전에 어머님이 절편을 사서 주셨다. 다른 반찬을 주시면서 남편이 좋아한다고 절편도 일부러 사서 같이 넣어 주셨다. 저녁에 절편을 확인한 남편은 피식 웃었다. 아무리 안 좋아한다고 말을 해도 그걸 잊으신다고 했다. 어머님과 남편 둘 다 이야기를 들어보니 이랬다. 남편이 어릴 때 우리 집도 다른 집처럼 간식을 달라고, 달고 맛있는 빵을 사달라고 했다고 한다. 어머님은 빵보다는 많이 저렴한 절편을 사다 주시면서 꿀떡이라고 너무 맛있다고 먹어 보라고 했다. 남편은 절편을 한입 베어 물고 안에 꿀이 없다고, 꿀떡이 아니지 않냐고 했더니 어머님이 대답하셨다.

 "꿀~떡 꿀~떡 잘 넘어가니까 꿀떡이지." 하고는 혼자 배를 잡고 웃으셨다고 한다. 그날이 남편은 서운한 기억으로 남았고 어머님은 기억이 안 나신다고 했다. 왜 좋아하지도 않는 절편을 먹었냐는 내 질문에 남편은 대답했다.

"먹을게 그거밖에 없어서."

 잘 먹는 모습이 기억에 남은 어머님은 내 아들이 절편을 좋아한다고 생각하신 것 같다.

 아이들을 거리로 내몰지 않고 아등바등 지켜내야 했기에, 외식 같은 것은 모르고 산 우리 부모님이기에 우리는 밖에서 음식을 사 먹는 가족 외식에 많은 결핍이 있었다. 그래서 스마트스토어가 잘될 때 우린 신나게 음식점들을 섭렵하고 다녔다.

 해먹을 시간이 없다는 아주 완벽한 변명거리를 자신감 있게 양가 부모님께 말하고, 마치 미식가처럼 맛있다고 하는 맛집은 죄다 쫓아다녔던 것 같다. 그전에는 아주 특별한 날 가끔 가던 호텔 뷔페, 맛있다고 소문난 소고깃집, 양고기 전문점, 고급 일식집 같은 곳을 특별한 날이 아닌 평범한 날 갈 수 있었다. 자주 갈 수 있었다. 맛있는 것을 먹으면서 즐거워하는 남편을 바라보며, 남편은 나를 바라보며 서로 짠했다. 어릴 때 못 해봤으니까 마음껏 하라고, 먹고 싶은 대로 다 시키고 다 먹으라고, 서로 말은 안 해도 같이 결핍을 채워나갔다.

사실 부모님 세대에 비하면 우리는 풍요롭게 살았다. 정말 떼거리를 걱정해야 했던 전쟁 직후 우리 부모님들은 굶어 죽는 사람이 실제로 있었다. 우리는 맛있는 음식을 조금 덜 먹었을 뿐이지 굶어 죽을 정도는 아니었다. 결핍이라는 것은 시대의 차이와 정도의 차이가 있을 뿐이지 늘 존재한다. 친정엄마의 결핍은 옷이었다. 우리가 사 먹는 음식을 원 없이 질리도록 먹은 후에야 해 먹는 음식이 소소하지만 맛있고 감사했던 것처럼 친정엄마는 경제적으로 편안해지신 후에 하루가 멀다고 홈쇼핑에서 옷을 주문하셨다. 6남매의 셋째로 컸던 엄마는 간호사 공부를 해서 동생들을 먹여 살려야 한다는 할머니의 바람대로 간호대학에 들어갔다. 왜 엄마가 옷에 집착하는지 들은 일화가 있다. 부산에서 대학교를 다닌 엄마는 학교와 집이 버스로 끝과 끝이라고 했다. 단벌 신사였는데, 엄마 집은 습해서 옷을 빨아도 잘 마르지 않았다. 전날 빨아뒀지만 전혀 마르지 않은 블라우스와 치마를 어쩔 수 없이 입고 버스를 타게 되셨다. 자리에 앉아 학교로 향하는 동안 속옷까지 축축하게 젖어왔고 내리려고 자리에서 일어선 순간 그 치욕을 잊으실 수가 없다고 했다. 엄마가 앉아 있던 자리에 물이 흥건하게 고였던 것이다. 마치 소변을 눈 것처럼.

 한동안 그때의 한을 씻어버리기도 할 것처럼 옷을 사시더니 어릴 때의 결핍이 충족되셨는지 멈추셨다. 남편과 내가 사 먹는 음식이 특별할 게 없다는 걸 깨달았던 것과 비슷한 어떤 것이었나보다.

 학교 다닐 때는 아르바이트를 한다고 해도 기숙사비나 등록금 같은 비용을 경제적으로 부모님께 의지할 수밖에 없어서 '돈을 쓴다는 것'은 항상 죄책감을 느끼는 일이었다. 소비에 대한 죄책감은 그 후에도 지속되었는데 이렇게 남편과 내가 같이 이룬 일로 직접 돈을 벌고 그 돈으로 쓰는 소비는 달랐다. 소비에 대한 죄책감은 감사함으로 바뀌었다.
 남편과 어린 시절을 공유하며 둘 다 경제적으로 어렵게 살았지만, 양쪽 어머니 두 분 다 최선을 다해서 지켜줬던 것을 알기에 지금은 웃으면서 이야기할 수 있다.

 원하는 것은 언제든지 살 수 있다고 깨달은 후 제일 큰 변화는 물욕이 사라진 것이다. 오랜만에 친구들과 모이는 자리에서 예쁜 구두를 신고 오면 예뻐서 갖고 싶고, 명품 핸드백을 보면 부러웠는데 물질적인 것들로부터 해방된 것이 가장 큰 감사한 점이다. 명품 가방을 사도 즐거워서 날아갈 것 같은 느낌이 없었고, 좋은 옷을 사도 행복감이 생기지 않았다. 경제적 자유가 나에게 준 선물은 물질적인 소비를 돈 걱정하지 않고 할 수 있다는 것이 아니라 가짜로 원하는 것과 진짜로 원하는 것을 분별할 수 있는 판단력을 준 것이다.

남들이 정한 기준, 이를테면 이 나이에는 최소 이 정도 아파트에 살아야 하고 차는 이 정도 등급은 타야 하며 통장에는 얼마만큼의 돈이 있어야 한다는 그 기준에 부합하려고, 그것이 성공이라고 생각했었는데 그런 기준으로는 행복감을 느낄 수 없는 것을 체험했다. 책에서 그런 구절을 읽을 때는 '다 가졌으니까 그렇게 말하는 거겠지.' 하고 치부하고 말았는데 정말 그런 것이었다. 물질적인 것을 기준으로 삼는 것에서 벗어나자, 마음이 너무 편안해졌다. 책으로 읽는 거랑 실제로 피부로 느낀 것은 완전히 달랐다.

인생에 있어 목표와 기준이 바뀌게 되는 경험이었다. 만약에 코로나가 오지 않았고, 휴원을 하지 않았더라면, 절박함에 스마트스토어를 시작하지 않았더라면 어떻게 되었을까. 힘든 일 뒤에 더 힘든 일, 그 후에 또 힘든 일만 경험했다면 절망에 빠져 죽고 싶다는 생각이 들지도 모른다. 하지만 내가 지금까지 죽지 않고 살아남는 것을 보면 힘들었다가도 예기치 못한 순간에 좋은 일이 생기기도 하며 채찍 뒤에 슬쩍 당근도 받아 왔나 보다.

힘든 시기 최악의 순간에 좋은 일이 시작되는 싹을 틔웠고, 힘든 일은 좋은 일로 기뻐하는 와중에 이미 생겼을지 모른다.

경중의 차이는 있어도 위기와 행복은 반복된다는 것은 분명한 진리이다.

만약에 코로나가 오지 않았고, 휴원을 하지 않았더라면, 절박함에 스마트스토어를 시작하지 않았더라면 어떻게 되었을까.

파리에 한달살기

남편은 여행이 싫다고 했다. 여유가 있는 상태에서 가는 것이 아니기 때문에 여행에서 돌아오는 일상이 싫다고 했다. 소비를 예상 수입에서 당겨서 썼다면 더 일상으로의 복귀가 찐 맛 나는 일일 것이고 여행하는 동안 수입 없이 소비만 있으니, 그에게는 미래에 대한 불안감을 가중할 뿐일 것이다.

열심히 일했으니까 ,여행을 다녀오면 좋겠다고 가볍게 시작한 생각의 씨앗은 점점 커졌다.
'잠깐만. 만약 한 달 살기를 간다고 하면 이게 현실성 있는 이야기인가.'

내가 운영하는 스마트 스토어는 누군가가 택배 포장만 대신해 준다면 내가 어디에 있는지는 중요하지 않을 거 같았다. 고객과의 소통도 어차피 전화 통화나 채팅하는 비대면으로 이루어지고 인쇄소와도 직접 대면 없이 충분히 가능하다.

나는 작가 파울로 코엘료를 정말 좋아한다. 서울로 유학을 갈 때 내 고향을 벗어난다는 두려움을 떨쳐내고 용기를 줬던 책은 그의 책 연금술사였다. 파울로 코엘료의 신작이 나오는 소식을 들으면 제일 먼저 서점으로 달려갈 정도로 팬이었다. 그의 책 프롤로그를 읽다가 글을 쓰기 위해 남프랑스에 머물고 있다는 말이 가슴속 깊이 박혔다. 내가 사는 곳을 잠시 떠나 다른 곳에서 몇 달 혹은 몇 년을 보내는 삶을 산다고? 나도 그렇게 살고자 꿈꿨고, 그런 삶이 부러웠다.

작가 파울로 코엘료가 글을 쓰는 노트북 혹은 종이와 연필만 있으면 되듯이 나도 일러스트와 포토샵 프로그램이 깔린 노트북 하나와 인터넷이 가능한 곳이라면 어디든 일을 할 수 있을 것 같았다. 그렇게 파리 한 달 살기를 계획했다.

뉴욕 한달살기 혹은 런던 한달살기가 될 수도 있었을 텐데 파리로 결정한 이유는 그 당시에는 아동 미술학원을 계속

'잘'하고 싶은 마음이 컸다. 프랑스 미술 교육을 따라 한다는 국내의 아동미술 프랜차이즈가 있는데 처음에는 그 프로그램을 따라가면 어떨까 찾아봤다. 여행도 패키지로는 절대 가지 않는데, 일정이 맞춰 움직이는 것이 내키지 않았다. 그래서 직접 가서 부딪쳐보기로 했다. 미술 교육을 경험할 기회가 없다면 미술 교과서라도 구해오자는 마음으로 프랑스 미술 교육과 관련된 다큐멘터리는 다 찾아보고 구글 지도로 미술 교육을 하는 아카데미를 찾아 모두 캡처했다. 예술의 중심 도시였던 파리에서는 아이들이 어떻게 미술 교육을 받고 있나 궁금했고 직접 눈으로 확인하고 싶었다. 내가 가르치는 아이들이 나중에 커서 미술을 전공하지 않아도 미술을 향유할 수 있게 하고 싶었다. 미술을 즐기고, 책을 읽듯 습관처럼 그림을 그리는 것이 취미인 사람, 다른 과목들처럼 미술도 잘해야만 하는 '공부'가 아니라 잠시 머리를 쉬게 해주고 싶을 때 휴식으로 미술을 찾는 사람으로 클 수 있도록 도와주고 싶었다.

한달살기의 모든 계획은 시뮬레이션을 돌려보고 가능할 것 같았다. 여행을 떠나기 위해 중요한 결정 두 가지는 항공권과 숙소이다. 한 달간 머물 숙소를 알아보고 항공권을 예매한 뒤, 현지에서 쓸 신용카드를 만들고 필요한 돈을 환전했다. 숙소를 알아보는 데 정말 공을 들여 많은 시간 찾아봤는데, 일하는 시간을 제외하고 찾아보려면 자는 시간을 줄여야 했다. 어느 날은 새벽에 일을 끝내놓고 찾아보다가 해가 뜬 적도 있다. 한 달이나 머물 공간이기 때문에 교통, 위치, 편의 시설 등 모든 면에 만족할 만한 곳을 찾고 있었고 선택할 수 있는 옵션은 너무나 많았다. 파리 내 4천 곳이 넘는 숙소를 찾아봤던 것 같다. 파리는 구역별로 치안이 안 좋은 곳도 있어서 치안 문제가 있는 구역은 배제했다. 마음에 드는 집을 찾으면 파리에 사는 한국인 커뮤니티에서 단점이 있는지 확인하는 과정도 필수이다. 집 크기도 크고 역세권이면서 한 달 대여 비용이 크게 비싸지 않은 집이 있었는데 1층이었다. 나는 치안이 걱정되어서 찾아본 건데 커뮤니티에서 얻은 정보는 1층은 쥐가 출몰할 수도 있다는 것이었다. 그럼, 패스.

안전하고 깨끗한 구역이면서 한국인이 제일 많이 사는 15구를 위주로 찾아봤다. 어느 날 새벽 드디어 마음에 드는 집을 찾아서 당장 계약했다. 젊은 오페라 남자 가수가 사는 집인데 유럽 전역으로 오페라 공연을 다니는 사람이었다. 우리가 예약하는 시점에 다행히 빈으로 공연을 하러 가 있을 때라 집을 빌려줄 수 있다고 했다. 흡족하게 예약을 마쳤는데 파리로 떠나기 열흘 전 연락이 왔다. 코로나로 인해 공연이 모두 취소되어 자기가 집에 머물러야 한다고 했다. 너무 아쉬웠지만, 그 집주인도 안타까웠다. 뉴스로 보기에는 마

스크도 안 쓰고 자유로워 보이는 유럽도 코로나의 여파가
있구나.

 국내의 숙소를 찾다 보면 사진보다 실제가 훨씬 열악한 곳
이 많다. 파리도 다르지는 않았다. 숙소는 처음에 위치를 확
인, 두 번째로 방 크기를 확인한다. 세 번째로 한 달간의 비
용을 따져보고 마음에 들면 이미 묵었던 사람들의 후기를
본다. 다 마음에 들어 후기를 보면 바퀴벌레가 많다거나 너
무 춥다거나 밤에 시끄럽다는 것을 찾게 된다. 무시하기에
는 너무 큰 단점이 아닐 수 없다.
 숙소를 고르는 데 애를 먹었다. 그래도 많은 시간 찾아본
보람이 있었다. 지하철 8호선이랑 가까우면서 루브르로 바
로 가는 버스정류장이 근처에 있고, 15구이며 벌레도 나오
지 않는 깨끗한 아파트를 빌릴 수 있었다.
 다음번에 파리로 또 가게 된다면 한국인 커뮤니티에서 유
학생의 집을 빌려주는 글을 찾아보고 예약하겠다. 한국 집
으로 가 있는 동안 빌려주는 것이어서 임대료도 저렴하고
무엇보다 믿을 수 있기 때문이다.

 고민거리였던 인쇄물의 택배 발송은 주변 사람들의 도움
으로 해결되었다. 친언니와 같은 지인에게 자초지종을 다
설명하기도 전에 "내가 도와줄게!!"를 외쳤다. 월급도 필요

없단다. 세상에 이런 사람이 어딨지, 너무 감사했다. 덕분에 나와 남편은 생애 최초로 '돈을 벌면서 여행하는 삶'을 누려볼 수 있었다.

 물론 파리에서도 일을 해야 했지만 그 일이 전혀 힘들지 않았다. 내가 어디에 있든 일이 되는 가능성을 경험하고 싶었으니까. 잠을 조금 덜 자고 하루에 2만 보씩 걸어도 행복했다. 파리에서의 일과는 이랬다. 새벽 6시쯤 일어나 밤사이 들어온 주문을 확인하고 11시까지 인쇄소에 제작을 맡긴다. 남편이 차려준 브런치를 같이 먹고 외출 준비를 한 뒤 12시쯤 집을 나선다.
 파리의 구석구석 많이 다녔다. 유명한 관광지도 많이 갔지만 미술관은 빼놓지 않고 꼭 다녀왔다. 일주일에 두 번은 미술학원 참관 수업을 하고, 저녁에 노천카페에서 와인 한잔을 하고, 집으로 돌아오면 낮에 돌아다니는 사이 쌓인 일을 하고 잠들 수 있었다. 자주 주문하는 단골들은 한달살기로 파리에 가 있는 것을 알고 있어서 답변이 조금 늦어도 이해해 주었다. 파리에서 내가 인쇄소에 넘긴 인쇄물들은 한국에서 언니가 받아 포장하고 출고가 되었다. 택배사 프로그램에서 내가 주소지를 등록해 두면 언니가 출력만 해서 붙이면 되도록 매일매일 출고 나가는 물품들을 정리했다. 때로 웹 포스터나 브로슈어 디자인 의뢰가 들어오면 오래 걸리기 때문에 집 근처 카페에 가서 작업을 했는데, 남편이 지루할까 봐 걱정되었다. 대여섯 시간이 걸리는 작업 중이었는데 남편에게 물었다.

"여보, 심심하지 않아? 혼자 가고 싶은 곳 다녀와도 돼."
"사람 구경하는 거 재미있어. 동양인이 거의 없는 여기 앉아서 보고 있으면 여행 온 게 아니라 나도 여기 사는 것 같아 기분이 묘해."

맞다. 한정된 시간 안에 관광지를 여행 다니는 여행자가 아니라 대충 모자 쓰고 일하러 나온 우리 모습을 보니 이 도시의 일부가 된 것 같아 기분이 좋았다. '에밀리, 파리에 가다'에 나온 거리, 공원을 직접 걸어보고 헤밍웨이와 피카소의 단골 카페 레뒤마고에 가서 나도 그 자리에 앉아 보았다. 마치 현시대와 공존하는 것처럼 야릇한 감정이 들었다. 영화 '미드 나잇 인 파리'에 나왔던 서점 셰익스피어 앤드 컴퍼니도 구경하고 인셉션에 나왔던 비르하켐 다리에서 사진도 마음껏 찍으면서 왜 파리가 수많은 영화의 배경이 되었는지, 왜 사람들이 파리에 대한 로망이 있는지 알 것 같다.

파리에서의 한달살기는 우리 부부에게 하나의 상징이 되

었다. 스마트스토어로 열심히 일해서 번 돈으로 다녀올 수 있었고 일상으로 돌아와서 오래도록 추억할 수 있는 소중한 기억이 되었다. 남편은 생전 처음으로 그림을 보고 눈물이 핑 돌 만큼 감동을 했다고 했다. 오랑주리 미술관의 모네 그림을 보고 '이렇게 아름다울 수도 있구나!' 하는 그림 감상에 눈 떴고 무엇보다 여행을 마치고 돌아왔을 때의 현실 복귀 불안감이 사라졌다. 파리에서 여행하는 내내 돈을 벌고 있었고 매일매일 여행 경비를 쓰고 있었지만, 그 와중에 돈을 모을 수 있었기 때문이다.

카페 〈Obrkof〉에서는 천상의 맛이라고 표현하며 무려 커피와 케익을 15만 원어치나 먹었다. 카페 사장님도 놀랐겠지만, 우리 부부는 오브코프 카페의 티라미수와 스콘이 그 맛의 기준이 되었다. 또한 우리나라처럼 바닥에 보일러가 없어서 뼛속까지 시린 추위에 목도리를 두르고 후드티 모자를 덮어쓰고 잘 때도 남편과 서로의 모습이 웃겨서 웃으며 잠들었다. 그때 우리가 제일 많이 했던 말은 "이런 삶을 살게 될 줄이야."였다.

파울로코엘료의 책 〈연금술사〉에서는 심장의 소리에 귀 기울이며, 우리 각자의 '개인적 전설'을 실현해야 한다고 알려준다. 하지만 너무 힘들 때는 심장의 소리가 단지 복에

겨워 있을 때나 가능한 거라고 치부해 버렸다. 마라톤을 뛰다가 너무 힘들어서 주저앉아 버리면 다시 일어나기가 너무 힘들다. 전문가는 천천히 걸어도 좋으니 앞으로 나아가야 한다고 일러 주지만 그냥 누워버리고 싶을 것이다. 하지만 '나빠서 좋았어'를 잊지 말았으면 좋겠다. 힘들어서 드러누워 버리고 싶은 순간을 간신히 참고 앞으로 한 발짝씩만 가다 보면 점점 나아진다. 우리가 삶에서 마주치는 모든 것이 우리가 꿈꾸는 것을 이루기 위한 징조이다.

돈을 벌면서 여행하는 기분

 여행에서의 시간은 유난히 빨리 흘러가고, 집으로 돌아올 때가 다가오면 아쉽고 돌아가기가 싫어진다. 남편과 결혼하고 처음 다녀온 여행은 항공권을 할부로 결제했기에 돌아와서도 그 여행의 잔재들을 갚아나가야 했고 그 이후로 여행과 돌아왔을 때의 허무한 간극을 메꾸기 위해서 미리미리 준비하기 시작했다.

 여행 가서 쓸 용돈까지 환전을 해두고 만반의 준비를 해도 면세점이나 현지에서 쇼핑하는 것은 부담이 되었다. 남편은 나를 만나기 이전에 여행을 다녀와서 겪는 현실과의 차이 때문에 여행을 가서도 즐겁지 않다고 했다. 나는 적어도 여행하는 동안은 그 모든 것을 잊는데, 남편은 다녀와서의 부담감이 싫어 여행을 즐기지 못했다. 그렇게 돈을 쓰기만 하는 여행을 하다 보니 그럴 수 있을 것 같았고, 그런 남편을 즐겁게 해주고 싶었다.

그 무렵 스마트스토어는 구매자가 물건을 받고 구매 확정을 누르지 않는다면 일주일이 지나 자동 구매 확정이 될 때까지 판매 정산금을 받지 못했다. 그로 인해 판매자들은 불편할 수밖에 없었을 텐데 중간 이윤 판매를 하는 판매자들은 자본이 묶여 있어 더더욱 힘들었을 것이다. 이러한 판매자의 불편을 해소하고자 빠른 정산 서비스를 도입했는데, 판매자가 물품을 출고할 때 배송 기사님이 송장을 스캔하는 순간부터 정산금을 선지급하는 방식이다. 만약 구매자가 반품한다면 후 차감을 하게 되어 다음 정산 금액에서 제외가 된다.

이러한 빠른 정산 서비스는 판매 물건에 대한 이익을 빠르게 정리할 수 있도록 도왔다.

출국 일자가 다가왔고 코로나로 인해 인천공항으로 가는 리무진 운영을 한시 중단했기 때문에 전날 가서 하루 자고 공항으로 갈지, 새벽에 운전해서 갈지 고민했다. 전날 밤까지 택배 싸는 일을 도와주는 언니가 좀 더 일을 수월하게 할 수 있게 정리를 하게 되었고 새벽에 운전해서 인천까지 가게 되었다. 코로나로 인해 영문 음성 증명서는 인당 10만 원이 넘었고 준비해야 할 서류도 여러 가지라 불편한 점은 있었지만, 출국하는 사람들이 많지 않아 여유 있게 출국 수속을 밟게 되었고, 차량 주차 서비스도 평소의 반값이었다.

둘 다 뜬눈으로 밤을 지새우고 새벽에 도착했는데 한 달간 차를 보관해 주시는 사장님께서 공항으로 미리 나와 주셔서 죄송하기도 하고 감사했다. 체크인하라며 항공사 앱의 알림이 왔다. 긴 시간 비행에 힘들어할 남편을 위해서 비상구 좌석을 추가금을 주고 구매를 했는데, 전체 탑승객이 적어서 그런지 비즈니스 좌석 할인을 한다는 광고를 연이어 보내줬다. 여행을 갈 때마다 최저가만을 찾았기에 악명 높은 항공사를 많이 이용해 봤다. 첫 유럽 여행을 갈 때는 러시아 항공을 이용해서 환승역인 모스크바에서 24시간을 공항 안에서 대기한 적도 있었고, 인도 여행 때는 에어 인디아를 이용하여 경유지인 홍콩에서 비행기 안에 5시간을 있었던 적도 있다. 이번 항공권의 최우선 순위는 시간이었다. 일반석에 앉아 가는 것도 감사한 일인데, 비즈니스 좌석 할인율을 보니 탈만하다는 생각이 들었다. 남편과 나 1인당 50만 원 정도만 추가하면 비즈니스석으로 업그레이드할 수 있었는데, 딱 전날 스마트스토어 정산금이었다.

체크인하면서 '지금 아니면 언제 타보겠어.' 하는 마음과 함께 비즈니스석으로 업그레이드하여 결제했다. 비행시간을 두려워하던 남편은 입이 귀에 걸렸다.

 돈이 행복을 보장해 주지는 않지만, 행복하기 위해서 돈은 반드시 있어야 한다. 예전에 김미경 강사의 강의를 드는데 객석에서 여대생 한 명이 질문했다.
"꿈을 좇아야 할지, 돈을 좇아야 할지 잘 모르겠어요."
 김미경 강사는 당장 도전하고 싶은 꿈이 없다면 돈을 먼저 좇으라는 조언을 했던 것 같다. 갓 대학생이 된 어린 친구가 나에게 묻는다면 나도 엇비슷하게 답했을 것 같다. 나는 어릴 때부터 유학을 가고 싶어서 대학교를 졸업하는 순간부터 유학 준비를 했다. 돈은 없었는데 어떻게 유학 준비를 했냐고 언젠가 남편이 물었다. 나는 '어떻게 되겠지'하고 생각했던 것 같다. 대학생 때도 운 좋게 경쟁률을 뚫고 대기업의 장학생이 되어 등록금과 생활비를 지원받아서, 나만 열심히 한다면 유학도 지원받을 수 있지 않을까 했고, 만약 지원받지 못해서 유학을 실행에 옮기지 못하더라도 도전했었다는, 도전해서 합격했었다는 추억을 갖고 싶었나 보다. 졸업 후 1년 동안 유학 준비를 했고 원하는 학교 중에 한 군데에 합격했지만 돈 때문에 갈 수가 없었다. 그때야 나는 돈을 좇게 되었다. 돈이 있어야 꿈도 이룰 수 있기 때문이다.

 물려받을 재산이 많지 않다면 우리는 돈에 자유로울 수가 없다. 외국 학생들과 토론하고 공부하는 삶을, 꿈에 그리던 학교를 졸업하는 꿈이 바로 눈앞에 있는데 그걸 놓칠 수밖에 없어서 잊고 살았다. '그건 꿈일 뿐이야. 현실을 살아야지.' 하는 현실감각을 일깨우는 세포들이 매 순간 활발하게 움직였고, 그게 당연한 줄 알았다. 돈을 벌면서 여행하는 기분을 느끼기 전까지.

파리에 도착해서 일주일이 지났을 때였다. 낮에는 맛집도 가고 에펠탑, 몽마르뜨 언덕 등 유명한 장소를 도장 깨기를 하듯 직접 눈에 담았고 저녁을 먹고 돌아오면 밀린 일거리를 했다. 어느 날은 다 끝내고 보니 아침이 밝았다. 친구랑 카톡 채팅창을 열어두고 있었는데, 재미있게 보내고 있냐는 친구의 말에 "이렇게 행복한 건 처음이야." 라고 말했다. 나중에 안 사실인데 부부싸움을 하고 혼자 드라이브를 하고 있었다고 해서 내가 너무 야속하고 미웠겠다.

잠을 거의 못 자고 아침을 먹으러 집을 나서는데 전혀 피곤하지 않았다. 돈을 벌면서 여행하는 이 경험은 나의 사고를 송두리째 바꿨다고 할 수 있다. 이후로도 열흘간의 후쿠오카 여행, 보홀 여행을 다녀오면서 이렇게 살려면 어떻게 준비해야 하는가에 집중했다. 코로나가 내 생업을 멈추게 했던 것처럼, 다른 힘든 일이 닥쳤을 때 기회 알맹이는 위기

껍데기를 뒤집어쓰고 온다는 것을 반드시 명심해야겠다고
결심했다.

여행에서의 시간은 유난히 빨리 흘러가고, 집으로 돌아올 때가 다가오면 아쉽고 돌아가기가 싫어진다.

PART 2

결혼 예찬론자의 독립출판
줌마저씨 되기

어릴 때 막연하게 미래를 꿈꿀 때 나는 일찍 결혼하고 싶었다. 26살쯤 결혼을 해서 아이도 3명 낳고 사이좋게 잘 살고 싶었는데 정신 차려보니 어느덧 30살이 넘어 있었다. 인생은 순간순간이 모두 나의 선택으로 퍼즐이 맞춰져 간다.

누구 때문에, 뭐 때문에 이런 책임 전가는 변명일 뿐이고 결국 모든 최종 선택은 바로 '나', 내가 했다. 26살 때 누굴 만나고 있었지, 지금 떠올려보니 그때는 결혼할 용기가 없었던 것 같다. 여러 번의 이별을 겪고 어쩌면 나는 결혼제도에 적합한 사람이 아닐지도 모른다는 생각이 들었다. 이렇게 혼자 세계를 떠돌며 늙어 죽을지도 모른다고, 30년 넘게 다른 삶의 방식을 살아가던 사람 둘이 만나 결혼을 하면 속

박한다는 느낌에 벗어나고 싶을지 모른다고 생각했다. 그러다가 친구로 내 삶 깊이 들어온 남편은 함께 늙어 죽을 때까지 살아도 좋겠다는 확신이 들었다.

결혼하고 잘 살아가는 언니들을 보면 늘 궁금해서 물어봤다. "형부를 만날 때 이 사람이야! 나는 이 사람이랑 결혼할 거야 하는 확신이 들었어?"

이렇게 질문을 하고 다니던 내가 그 비스무리한 단단한 감정이 생기고 보니 왜 다들 질문을 했을 때 생각에 잠겨서 명확하게 대답할 수 없었는지 알 것 같았다. 마치 연애하고 결혼하는 일련의 과정에 '이 사람이야' 하는 확신은 첫 키스를 할 때와 약간 느낌이 비슷하다. 첫 키스 경험이 없을 때는 만화책이나 로맨스 소설에서 묘사하는 것을 곧이곧대로 믿는다. 사탕을 먹는 듯한 달콤함과 부드러움이라고 표현한 것을 보고 진짜 달콤한 당분이 느껴질 거라고 믿는다. 막상 첫 키스를 해보면 달달한 당이 실제로 느껴지지 않는다. 하지만 딱 그 사탕 먹는 기분은 아닌데 왜 그렇게 말했는지는 알 것 같다는 느낌? 연애부터 결혼까지 10개월 안에 다 해치워버려서 지인들은 금실 좋은 우리 부부에게 많은 질문을 했다.

"결혼해야겠다는 것을 어디서 느꼈어요?"
"결혼하니까 진짜 좋아요?"

나는 정말 결혼 생활이 즐겁고 행복했는데 다른 사람들도 그렇게 느꼈으면 해서 결혼을 권장하는 독립출판을 할 정도였다.

서로를 위하고 예쁘게 만나고 있는 후배들을 보면 어서 결혼하라고 부추겼다. 나도 모르게 결혼 예찬론자가 되었는데, 그 당시에 결혼하면 어떠냐는 후배들의 질문에, 좋다고 어서 결혼하라는 답변을 했다. 그러면 들려오는 대답은 "모아둔 돈이 없어요. 어느 정도 경제적으로 기반을 만들어 놓고 결혼하고 싶어요." 였다. '결혼하려면 돈이 있어야 한다'라는 것이 압박감으로 작용하는 듯했다. 부끄럽게도 나는 땡전 한 푼 없이 결혼했다. 내가 먼저 결혼하자고 청혼해 놓고 결혼을 준비하는데 얼마의 비용이 드는지 알지 못했다. 결혼식을 하는 예식장을 계약할 단돈 100만 원도 없었다. 이런 나도 결혼했다고, 나는 결혼하는데 이렇게 준비했다고 널리 알리고 싶었다. 그래서 상견례부터 스드메(스튜디오·드레스·메이크업), 집, 혼수, 청첩장, 신혼여행 등 결혼식을 준비했던 경험과 결혼식 당일에 대한 글을 써서 독립출판을 했다. 사비로 200권 정도 책을 만들어서 전국의 독립출판 서점에 이메일을 보냈다. 내 책을 입고시켜 주십사하고.

지금 읽어보면 몇 페이지 읽다가 오글거려서 덮어버리고야 만다. 그때 내가 하고 싶었던 이야기는 결혼식 비용이 부담되어서, 같이 살 집이 고민이어서 결혼을 망설이고 있다면 결혼식 자체는 아무것도 중요하지 않다고 말해주고 싶었다. 옛 어른들 말씀이 단칸방에 수저 두 개밖에 없어도 두 사람이 서로 사랑하면 잘 살 수 있다고 했는데, 원룸에서 시작하더라도 두 사람이 합심해서 잘 살 수 있다고 용기를 주고 싶었다.

서로를 배려하고 아껴주는 진심만 있으면 문제 될 것이 없다고 생각한다. 결혼식 비용과 같이 살 집, 이 두 가지가 사랑하는 남자와 여자의 발목을 잡는다. 물론 현실적인 문제가 복잡하게 얽혀있겠지만.

나는 모아둔 돈도 없으면서 남편에게 덜컥 청혼부터 했고 남편은 현실적으로 결혼을 진행했다. 그 모든 과정을 얇은 책에 담았고 그 책은 제주도의 한 독립 출판 서점에서 제일 많이 팔렸다. 누군가는 이 책을 읽고 용기를 얻었으면 좋겠다고 생각했다. 아무것도 없이 시작한 우리 부부도 하나씩 이뤄가고 있으니까. 아줌마, 아저씨가 되는 것은 생각보다 간단하다. 문제는 결혼 후에 어떻게 사느냐가 더 중요하다.

남편의 친구 중에 존경하는 사람이 한 명 있다. 그는 어린 시절 가난하게 자랐다. 고등학교에 다니다가 도중에 그만두고 돈을 버는 일에 뛰어들었다. 그가 20대에 어떤 마음으로 살아왔는지 이야기를 들은 적은 단 한 번도 없지만 절박한 심정으로, 그러나 작은 희망을 놓지 않고 살았음에 박수를 보내고 싶다. 그는 컴퓨터 프로그래밍을 어깨너머 배웠고, 일을 하면서 부족한 학위를 야간 대학에 다니면서 채웠다. 석사 졸업을 했을 때 그는 대기업으로 이직하게 되었다. 오랜 시간 장거리 연애를 하면서 예쁘게 사랑을 키워오던 사람과 결혼했고 무일푼에서 일궈온 그들은 지금 안정된 생활을 하며 살고 있다. 신혼 초에 그들은 우리 상황에 아이를 가지는 것은 무리라고 했지만, 아이를 가질 수 있는 경제적인 여건이 되고 보니 부인의 몸이 좋지 않아서 임신의 어려움을 겪고 있다.

친구 부부도 금실이 너무 좋아서 삼신할머니가 질투를 하는 걸까. 우리나라는 삼신할머니가 아이들을 점지해 준다는 이야기가 있다. 사이 좋은 부부가 오래도록 아이가 생기지 않으면 삼신할머니가 둘 사이를 질투해서 그렇다고 하는데 질투하지 말고 예쁘게 봐주시면 안 되냐고, 천사 같은 아이를 점지해달라고 부탁드리고 싶다.

금실이 좋으면
삼신할매가 질투한다던데

어느새 결혼한 지도 10년이 다 되어간다. 남편과 같이 살면서 물론 싸울 때도 있지만 다른 사람과 연애를 해본 경험으로 꼭 지키는 것이 한 가지 있다. 바로 '우아하게 화내기'이다. 가슴이 아리고 시린 연애 경험을 해본 뒤 배운 교훈은 싸울 때 감정을 전부 드러내서는 안 된다는 것이다. 자존심 때문에, 화 때문에 서로의 빈약한 험한 모습까지 다 보고 나면 태풍이 지나가고 화창한 날이 돌아와도 그 태풍의 잔상이 오래도록 지속된다.

그렇게 지난 연애에서 배운 교훈으로 남편과 싸울 때는 감정을 자제하고 말로 왜 이런 감정이 드는지, 어느 부분에서 마음이 상했는지를 상세하게 전달하는 연습을 했는데, 그런 여인의 모습을 살아생전 처음 본 남편은 처음에는 잔뜩 부풀어 오른 풍선에 얇은 바늘로 푹 찔러서 바람이 허무하게 빠져나가는 것처럼 화가 가라앉는다고 했다. 부부가 되면 평소에도 많이 대화하고 서로를 잘 안다고 생각하지만, 어떤 사건에 대해서 지나고 난 뒤 소감을 말하는 일은 거의 없다. 단, 그 일이 지나고 난 뒤 어떻게 해석하고 느끼고 있는지를 들을 수 있는 자리가 있는데 바로 친한 부부 모임을 했을 때이다. 친하게 지내는 친구 부부가 있는데 자주 만나 이야기 나누고 크고 작은 일이 생기면 서로가 그 일을 공유한다. 어느 날 친구 부부의 싸움 이야기를 듣고 남편은 우리 부부가 싸우지 않는 이유를 내 태도에 있다고 말을 꺼냈다. 치열하게 싸우고 화해하는 것이 부부라서 '부부싸움은 칼로 물 베기'라고 하지만 싸울 때 상처 되라고 내뱉는 모진 말은 서로에게 깊숙이 상처가 된다. 남편은 그런 못난 모습을 보여 줄 수밖에 없는 감정 대립 도중에 차분하고 우아하게 내가 말해서, 그 부분이 나의 큰 장점이라고 했다.

 남편과 나는 초등학교 동창회에서 처음 만났다. 초등학교를 졸업한 이후 30대가 되어 처음 만났는데, 세심하게 여자 마음을 잘 알고 이야기를 잘 들어줘서 처음에는 게이가 아닌지 의심하기도 했다. 급속도로 친해지고 지난 세월 그의 찬란하게 빛날 때와 무너져 아픈 기억을 다 알고 난 뒤에 그에게 내가 먼저 청혼했다.

나는 아이를 갖고 싶었다. 결혼식을 준비하면서부터 임신을 원했는데, 나를 닮은 아이는 버거워도 남편을 닮은 아이는 내 모든 걸 내주어도 아깝지 않을 것 같았다. 임신을 위한 노력은 프롤로그에 썼던 것처럼 자연적으로 임신이 되길 기다린 3년을 보낸 후 시간만 축낸다는 생각에 난임 병원을 찾았고, 준비하면서 아이를 갖는 것을 포기하게 되었다.

금실이 좋으면 삼신할머니가 질투한다는 옛말이 있다. 아이를 갖고 싶은데 가질 수 없는 우리 같은 부부가 너무 많고 의학의 힘을 빌려 수십 번 도전 끝에 얼마 전에 아들을 얻게 된 친구 부부도 있다. 아버지가 돌아가시고 3년 정도는 '아빠' 혹은 '아버지'라는 단어만 나와도 눈물이 그렁그렁 맺혔었는데 아이가 너무 갖고 싶은데 가질 수 없어서 좌절감에 빠져 있을 때는 '아기'란 단어만 나와도 감정이 복받쳐 올랐다. 친한 친구랑 화창한 봄날 예쁘게 화장하고 만나서 브런치 카페에 갔던 날, 병원 다니는 건 어떻게 되어가고 있냐는 질문에 눈물이 펑펑 쏟아져 친구랑 눈물의 파스타를 먹은 기억이 있다.

내가 사는 도시는 난임병원 하면 제일 먼저 언급되는 제일 크고 의사 선생님도 많은 유명한 산부인과가 있다. 1과부터 12과까지 열댓 분이 넘는다. 보통 뒷번호부터 인공수정과 시험관 시술을 시도하면서 점차 앞번호의 의사 선생님으로 넘어오는데 우리는 처음 상담 후 2과 선생님으로 담당의가 정해졌다. 이때 아이를 가지기 위해서 노력했던 몇 달을 상세하게 적고 싶은데 기억에서 사라졌다. 처음 병원을 방문한 날, 그리고 얼굴이 벌침 맞은 것처럼 부풀어 올라 남편이 나를 붙잡고 울었던 날. 이것만 떠오르고 다른 날들은 기억에 없는 것을 보면 내 무의식이 그 기억을 다 지워버린 것 같다.

 얼마 전에 수영 선생님과 수업 전에 이야기를 나누다가 아이가 없는지 조심스레 물어보셨다. 우리는 아이를 낳지 않고 살기로 했다고 하니까 요즘은 그런 사람들이 많아서 아이를 묻기가 조심스럽다고 하셨는데 근래에 정말 분위기가 많이 바뀐 것 같다. 불과 5년 전만 해도 버스 안에서도, 목욕탕에서도 결혼은 했는지 물어보시면 다음 질문은 "아이는?" 이 2번 질문이었다. 아이는 하나 있어야지 덧붙이시는 말씀에 '남들은 다 잘 가지는데 왜 나는 아이가 안 생기는 거야' 한탄스러울 때는 그 말이 가시 같았다. 친구 중에 아들이 둘 있는 친구가 있는데 아이를 묻는 말에 아들이 두 명 있다고 하면 으레 "딸도 하나 낳아야지." 하는 말을 듣는다고 했다. 수천 번도 넘게 들어서 노이로제가 걸릴 지경이라고. 어떤 마음인지 알 것 같았다. 생각해 주셔서 하시는 말씀일지 몰라도 고깝게 들리는 상황에서는 그 모든 상황이 불편했고 그런 말이 오가는 일이 처음부터 생기지 않도록 원천 차단했던 것 같다.

 아이가 없는 삶은 잘못된 것 같고, 죄책감이 느껴져서 이런 상황에 있는 사람들은 없는 걸까? 주위를 두리번거리고 '엄마는 되지 않기로 했습니다'와 같은 책도 찾아서 읽어봤다.

 아이를 키워보지 않아서 얼마만큼 힘든지 경험해 보지 않았기에 가늠할 수는 없다. 하지만 육아 스트레스, 산후우울증을 감내하고 보물 같은 아이를 키워내는 것처럼 우리 같은 부부들도 아이가 없는 공허함과 허전함을 묵묵히 인내하며 살아간다. 가졌기에 할 수 있는 말들이 있다. "너희 부부는 아이가 없어서 좋겠다. 시간도 많고." 물론 진심으로 부러워서 하는 말일 수도 있다. 하지만 씁쓸한 기분이 드는 건 내 의지로 막을 수 없지 않은가. 그래서 반대의 경우가 피해가 될 것 같아서 이와 같은 말을 꺼내지 않는다.

"애가 있어서 좋겠다. 크는 모습이 얼마나 예쁠 거야."

 육아가 굉장히 버겁고 힘든 상황이라면 이 말이 좋게 들릴 리가 없으니까. 때로는 침묵하거나 외면하는 것이 현명할 때가 있었다. 아이를 키우는 친구 부부 중에 불평불만을 자주 하는 친구가 있다. 그날도 마음대로 되지 않는 자기 상황을 풀어내고 있었다.

"잠을 안 자서 미쳐버리겠다 진짜."

"힘들겠다. 그래도 건강하게 크고 있으니까, 다행이야."

"너희도 한번 낳아 봐라. 진짜. 그런 말 안 나온다."

너희도 낳아서 키워보라는 말을 수도 없이 들었는데 그 말을 내뱉을 때마다 내 슬픈 표정을 봤는지, 아니면 세심하게 배려하는 수진이가 혼냈는지 이제 그런 말을 더는 하지 않는다.

미련이 남아 있을 때는 그 모든 것이 슬픈 이야기였지만 미련을 떨쳐내고 나니 담담하게 받아들여졌다. 같은 상황을 겪어보지 않은 사람들이 가볍게 하는 말로 상처도 받지 않고 눈물도 나지 않았다.

아이가 너무 갖고 싶은데
가질 수 없어서
좌절감에 빠져 있을 때는
'아기'란 단어만 나와도
감정이 복받쳐 올랐다.

아기가 없어서 불가능한 것들

  친구들 사이에서 비슷한 시기에 결혼하고, 아이를 낳고 살아갈 줄 알았는데 친구가 임신하고, 아이를 낳고, 돌잔치를 하고, 아이가 예쁘게 커가는 것을 바라만 보게 되었다. 아기를 예뻐하는 우리 부부의 모습을 보고 너희가 아이를 낳으면 얼마나 예쁘게 키울 거야 하는 아쉬운 말들을 들으면 이따금 마음이 흔들렸다. 아직 가임기 여자라는 것이 가능성을 생각해 보게 했고, 지방에서 열 번도 넘게 시험관 시술을 해도 실패했다가 서울에 가서 한 번만에 임신에 성공한 친구 이야기에 나도 한번... 하고 상상도 해보았다. 그러나 지금 아이를 가졌을 때 아이가 스무 살 무렵 환갑이 된다는 생각에 고개를 절레절레 흔들었다. 일찍 결혼하고 일찍 아이를 낳았다면 좋았을 텐데... 손이 많이 가는 어린 시절을 벌써 다 키우고 아이가 중학생이 되어 자기 인생을 다시 찾아가는 친구들을 보면 부러웠다.

 가지지 못한 것에 대해 미련이 더 있는 것은 철학자들도 어쩔 수 없는 인간의 욕심이라는데. 미련은 집착으로 변하고 떨쳐버리지 못한다면 무서운 일이 생길지도 모른다. 한없이 우울감에 빠지다가 빠져나올 수 없을지도 모른다는 위기감이 들었다. 만약에 내가 집중할 다른 대상을 찾지 못한다면 피폐하게 변할지도 모른다. 아이를 가지고 싶다는 것은 본능이며 모성애를 발휘하는 것은 잠재된 능력인데 그걸 해보지 못한다는 것은 사람에 따라 다양한 감정과 경험을 불러일으킬 수 있다. 어떤 이들에게는 깊은 아쉬움이나 미련으로 남을 수 있으며, 다른 이들에게는 삶의 다른 부분에 더 집중할 기회가 될 수도 있다. 중요한 것은 각자의 선택과 상황을 존중하고, 개인의 행복과 만족을 찾는 것이다. 내 몸에서 한 생명이 탄생하는 신비로운 경험을 해보지는 못해도 내가 이 세상에 태어난 이유와 내가 할 수 있는 것이 분명히 있을 것이라며 긍정 회로를 돌려야 했다. 지금에야 덤덤하게 말할 수 있지만, 아기가 없어서 불가능한 것들을 우울했던 그 시기에 정리했다면 오열하며 적었을지도 모른다. 아이를 낳는 것이 정답이고 못 낳게 되었다는 죄책감에 온 감정이 짓눌려서 말이다.

아이가 없어서 불가능한 것 중 제일 아쉬운 건 세상에 존재할 수도 있었던 아이의 얼굴을 보지 못하는 것이다. 아이 얼굴을 가상으로 보여주는 앱에 남편과 내 얼굴을 넣어보았다. 오묘하게 둘의 얼굴이 섞여서 두 사람을 겹치게 해 놓은 것 같아 정말 신기했다. 갓난아기 때부터 봐오던 조카의 예쁜 얼굴에 아빠 얼굴이 있다가 몇 달 지나 좀 더 커서 보면 엄마 얼굴도 보이는 것처럼. 조금씩 커가는 것을 보면 아이가 있어야 가능한 육아의 기쁨일 것이다.

아이를 가지게 되면 꼭 엄마표 미술 놀이를 해주고 싶었는데 그것도 아쉽지만 못하게 되었다. 학원 수업 때 했던 것처럼 귀엽고 앙증맞은 4살 아이의 손과 발을 찍어서 만든 닭, 원숭이, 공작새로 캔버스 액자도 만들고 싶었는데... 어쩌면 나를 닮아서 온 얼굴과 손에 물감을 다 묻히고 신나게 할 수도 있고, 남편을 닮아서 깔끔한 체하느라 물감이 살짝만 묻어도 당장 "나 손 씻어"를 외칠지도 모른다. 함께 만든 그림을 가보처럼 걸어두는 사이 성인이 된 아이가 "내 손이 이렇게 작았다고? 말도 안 돼."하면서 고사리 같은 손자국 위에 자기 손을 올려볼지도 모른다.

아이들을 데리고 여름이면 물놀이하러 수영장, 계곡, 바다로 여행을 가거나 손주를 보며 함박웃음을 지을 부모님의 모습도 볼 수 없다. 아, 이 부분은 조금 울컥하네, 우리 어머님도, 엄마도 손주의 모습을 볼 수가 없다.

아이가 없어서 할 수 없는 것들을 나열하면 정말 많겠지만 웃기게도 가장 호기심이 발동하는 경험은 조리원 생활이다. 이 이야기를 들은 남편은 처음에는 어이없다는 듯 쳐다보더니 호탕하게 웃으며 말했다.

"조리원 돈 내줄 테니 며칠만 체험하자고 전화로 물어봐."

나처럼 한국의 조리원 생활이 궁금했던 사람이 또 있었다. 미국의 뉴욕타임스 기자는 일부러 한국의 산후조리원을 체험하러 출산 후 조리원으로 입소했다. 호텔 같은 시설과 마사지, 필라테스 수업 등의 산후 관리 서비스가 세계 최고라고 평가했다. 한국의 독특한 문화인 조리원은 서비스도 물론 좋지만, 조리원에서 친해진 친구들은 대부분 아주 오랜 시간 동안 연락하고 지내는 지인이 되었다. '조동'이라고 부르는 조리원 동기 친구들은 어릴 때부터 초등학교에 들어갈 때까지 같이 만나 안부를 묻고 여행을 다니기도 한다. 안타깝지만 조리원에 입소할 일도, 조동 친구들도 생길 수가 없다.

아기를 낳지 않으면 인간관계에도 변화가 찾아온다. 아이가 크면서 나이별로 다양한 관심사가 공유되는데 아플 때 어떻게 하는지부터 놀이, 어린이집 정보 공유, 유치원, 학원 추천 등 아이에 대한 정보는 끝이 없다. 얼마 전에 친한 동생을 만났는데 친한 대학 동기 중에 본인 빼고 전부 아이를 키우고 있단다. 모임을 갔다가 서로 아이에 대한 고민부터 여러 가지 정보를 공유하는데, 알아듣지 못하는 말이 정말 많았다고 했다. 무엇보다 본인은 결혼도 안 했고, 친구들이 나누는 대화 주제에 공감대가 전혀 없어서 모임에서 겉도는 것 같은 느낌을 받는다고 했다. 맞다. 결혼 전에 친구들을 만나 무슨 이야기를 했었나 생각해 보면 남자 친구에 관한 이야기, 썸 타는 남자 이야기, 여행 다녀온 이야기 등 내가 중심이 된 이야기였는데 아이를 키우면서는 아이를 중심으로 관심사가 이동한다.

나도 그랬다. 20살 때부터 친했던 친구는 나를 만나는 시간보다 공동 육아를 할 수 있는 아이 동네 친구 엄마들과 만나 모임을 하는 게 더 편해 보였다. 생명을 잉태했다는 경험은 엄마가 되었다는 끈끈한 공동체 의식을 느끼게 해준다. 아, 한 가지 더 있다. 아기가 없어서 불가능한 것 중의 하나는 그 누구에게도 엄마라고 불리지 않는다는 것이다.

나이가 들어서 동기들 모임에 갔는데 너도나도 아이들 자랑을 하는 상황을 상상해 봤다. 나는 그때 무엇을 자랑할 수 있을까.

매달 그날이 터질 때마다 남편에게 농담조로 말한다.

"내 난자가 또 하나 죽었어. 이제 진짜 (폐경까지) 몇 개 안 남았을 거야."

아기가 없기에 가능한 것들

친정엄마가 입버릇처럼 말씀하시는 것이 있다. "너희에게 가난을 물려주고 싶지 않아 최선을 다했다"라는 말씀인데 엄마 자신이 어렵게 공부하고 컸기 때문에 내 자식한테는 똑같은 경험을 시키게 하고 싶지 않으셨을 것 같다. 나도 아기가 있었다면 조금이라도 더 많이 남겨줘서 편하게 살 수 있도록 허리띠를 졸라매고 나를 위해 쓰는 비용을 아꼈을 것 같다. 아이를 낳는다는 가능성이 있을 때는 늘 불안했었다. 일을 하지 않고 쉬는 시간이 아까웠고 경제적으로 "이 정도는 모아야 해." 한다는 강박이 늘 있었다. 그 목표치를 위해서 뒤처질 수 없다고 자신을 채찍질했다. 불안감이 무의식중에도 늘 깔려 있었는지 항상 꾸는 꿈이 있었다. 나는 꿈에서 4학년 1학기 대학생이었고 1학기 남긴 상태인데 졸업하기에 부족한 학점이어서 발을 동동 구르며 졸업해야 한다는 강박증을 가지고 있었다. 현실에서는 이미 졸업장을 받고 졸업했는데도 꿈에서는 졸업을 못 한 상태로 반복해서 똑같은 꿈을 꿨다. 마음속 깊이 있는 어떤 불안감이 반영된 것이라고 여겼다.

남편과 길고 긴 대화로 아이를 낳지 않기로 한 뒤에는 불안감이 점차 사라지고 안정감이 생겼다. 여유를 가지고 쉬는 날은 '이렇게 쉬어도 되나' 하는 초조함이 있었는데 그런 감정이 사라지고 온전히 평화로움을 즐길 수 있었다. 아이에게 물려줄 재산을 생각하지 않아도 된다면 아등바등 살 필요가 없다고 스스로 마침표를 찍은 것 같다.

신혼 초에 남편과 같이 동네 은행에 가서 적금 통장을 만들었다. 그 계좌의 이름은 아가야 통장이라고 지었다. 나중에 아이를 낳았을 때 조리원 비용으로 쓰려고 만들었는데 모으다 보니 나중에 아이에게 물려줘서 아이가 대학 갈 때 주면 좋겠다는 계획을 했다. 아가야 통장은 의미 있는 돈이 모인 특별한 것이었다. 폐휴지를 모아서 고물상에 갖다주고 벌었던 돈, 필요 없는 물건을 중고 마켓에 판매하고 벌었던 돈, 생일에 양가 부모님이 주신 용돈, 주식으로 번 수익, 적금 만기로 벌었던 이자 등을 모아서 이 통장에 넣었다. 해가

지날수록 아가야 통장에는 점점 금액이 커졌다. 만기가 지났다며 돈을 찾아가라는 문자를 여러 번 받았다. 아이를 낳지 않기로 했을 때 아가야 통장을 없앨 용기가 나지 않았다. 그 통장에 들어 있는 돈을 쓰고 싶지 않았다. 그래서 만기 알림 문자를 애써 무시했다.

작년 대학원 합격 소식을 듣고 아가야 통장을 해약하러 은행에 찾아갔다. 적금 만기가 된 뒤에도 이자가 쌓여 생각했던 것보다 받은 돈이 많았다. 아가야 통장은 이제 사라졌지만, 그 돈을 의미 있게 쓰기 위해서 대학원 입학금을 내는 데 썼다. 아기가 없기에 가능한 것은 못다 한 내 공부를 할 수 있는 것이었다.

어릴 때 설날이나 추석 때 친척들에게 받은 명절 용돈은 엄마 주머니로 들어가면 사라지곤 했는데, 엄마한테 그 돈을 돌려 달라고 말하면 한결같은 대답이 들려왔다.

"그러면 내가 입혀주고 먹여주고 재워준 돈 다 돌려줘."

어릴 때는 부당하다고 생각했었는데 그런 생각을 했던 아이를 낳고도 남은 나이가 되어 보니 당연히 명절 때 받은 용돈은 엄마 소유가 되는 것이 맞았다. 아이 한 명을 키우는데 들어가는 돈은 어마어마하다.

한국의 출생률이 워낙 낮다 보니 몇 년 전만 해도 모 대통령 후보가 거론한 선거 공약 중 하나였던 '출산하면 1억'이라는 말도 안 된다고 입을 모아 이야기했던 공약은 현실적으로 재고해 보게 되었다. 2010년부터 2014년까지 14개의 주요 국가에서 발표한 양육비의 통계를 보면 우리나라의 경우 18살이 될 때까지 드는 비용이 무려 3억 6,500만 원이었다. 물론 어떻게 키우느냐에 따라 달라지겠지만 통계치는 18세까지니까 이후에 대학 등록금, 결혼 비용까지 생각한다면 비용은 더 늘어날 것이다. 보통 노후 자금까지도 끌어다 아이 교육비로 쓰게 되는 경우가 많은데, 확정되어 있던 지출 3억 6,500만 원은 우리 부부에게 안 써도 되는 돈이 되었다.

난임병원에 다닐 때 병원에 한 번 방문하면 백만 원 가까이 되는 돈을 수납 창구에 내야 했다. 어렵게 아이를 가진 친구 부부는 수천만 원이 넘는 돈을 썼다고 했다. 아이를 낳기도 전에 이렇게 지출이 많은데 아이를 낳고 난 뒤에는? 하는 막연한 두려움이 있었던 것 같다. 병원에 다닐 때만 해도 한 달에 남편과 모으는 돈도 한정적인데 지금 우리 둘이 쓰는 비용도 겨우 맞추고 살면서 아이가 생기면 남들 다 하는 것만큼 하고 살 수 있을까 하는 고민에 빠졌다. 친정엄마나 시어머니께 이런 고민을 털어놓으면 어른들은 똑같이 말씀하셨다.

'다 감당하게 되어 있어.'

'다 살게 되어 있어.'

'아이가 복을 가져와서 다들 애도 키우고 모으면서 산다.'

112

실제로 낳아서 키워보지 못해서 그 말이 사실인지 확인할 방법은 없지만 우리 부모님 세대는 정말 그렇게 사셨다. 아이를 낳지 않는다는 것은 이러한 모든 경제적인 걱정들을 내려놓을 수 있었다. 아이의 학군을 걱정하는 대신 우리 노후를 생각해 볼 수 있게 되었고 나에게 투자할 시간이 생겼다. 아이를 낳지 않는 가정이 많다는 것은 아마 이러한 공통된 고민이 있기 때문일 것 같다.

우리 시어머니는 정말 열심히 남편을 키우셨다. 친정엄마는 나와 우리 오빠를, 최선을 다해서 공부시키고 지금까지 키우셨다. 자신들이 먹고 싶은 것을 안 먹고 사고 싶은 것들을 아끼며 우리를 키워냈다. 하지만 친정엄마는 유학을 가고 싶어 하는 딸을 보내줄 수 없음에 가슴 아파했고 해줄 수 없는 자신의 능력이 없는 것 같아 억장이 무너진다고 하셨다.

나는 두 부모님이 하신 것처럼, 대한민국의 모든 우리 부모님 세대가 자식에게 쏟았던 헌신처럼 할 자신이 없었다. 내 능력이 까짓것인데 아이가 유학을 원하면 못 해주는 현실이 용납되지 않을 것 같다. 아기를 가지기 위해서 포기하지 않고 끝까지 해볼 수 없었던 이유는 어쩌면 이기적이어서 놓았을지 모른다. 아기가 없기에 가능한 것들을 해보고 싶어서. 아이를 위해 부모님처럼 헌신하고 싶지 않아서.

인생은 모두에게 공평하다고 한다. 70년을 살아봤더니 진짜 그렇더라고 엄마는 말씀하셨다. 협상할 때는 하나를 내 줘야 하나를 얻을 수 있다. 아등바등 사는 삶을 내려놓고 편안함을 얻게 된 것은 아이와 함께 사는 행복한 삶을 내어줬기 때문일 것이다.

 아이에게 갔어야 할 남편과 나의 모든 노력과 시간, 돈은 대상을 바꿔서 우리 스스로에게로 돌아왔다.

남편과 길고 긴 대화로
아이를 낳지 않기로 한
뒤에는 불안감이 점차
사라지고 안정감이 생겼다.

관심을 집중할 대상

"인간은 평생 공부하고 배워야 한다"

고이즈미 준이치로 총리가 국회에서 인용한 말인데 원래는 에도 시대의 유학자 사토 잇사이가 했던 말이라고 한다. 늦은 나이에 다시 공부를 시작한다고 했을 때 학비를 써가면서 왜 학교에 돌아가느냐고 회의적인 시선에도 뚝심 있게 흔들리지 않을 수 있었던 것은 내 머릿 속에 쌓인 지식은 그 누구도 훔쳐 갈 수 없기 때문이었다. 또한 아이도 없이 긴 세월 열정을 쏟을 대상이 필요했다. 남편? 결혼생활 8년차, 남편과는 거의 모든 주제로 대화를 해봐서 새로운 일이 발생하지 않으면 더 나눌 소재거리가 없다. 남편은 아이를 가지지 않기로 했을 때는 자기를 아이로 생각하라고 했고,

반려견을 키우자고 설득했을 때는 본인이 강아지가 되어주겠단다. 내가 집에 들어올 때 꼬리를 흔들어주고 아침에 잠을 깨우기 위해 얼굴을 핥아줄 수 있다고 했다.

 긴 세월 남는 시간에 무엇에 정성을 쏟아야 내가 행복할까. 고민을 하면서 내가 원했던 것들을 떠올려보기 시작했다. 나는 대학교의 교수가 되고 싶었다. 교수가 되기 위해 유학을 가고 싶었고, 내가 했던 공부를 학생들에게 나눠주고 싶었다. 교수 대신 학원 선생님으로 만족하고 살았지만 더 이상 나눌 것이 고갈되었다고 느끼는 순간 배우고 싶다는 갈증이 생겼다. 인풋이 있어야 아웃풋도 가능한 법인데 5년 넘게 오래전에 배웠던 것들을 써먹고 나니 스스로가 더 이상 참신한 교육자가 아니라고 생각했다. 그래서 파리의 미술 선생님들은 어떻게 가르치고 어떤 점을 중요하게 생각할까 궁금해졌다. 그렇게 떠났던 파리였는데 아이들을 가르치는 미술 선생님들이 어떤지도 배웠지만 내가 하고 싶은 것도 찾게 되었다. 가르치고 싶은 미술 작업이 아니라 오래전에 손 놓았던, 나를 표현하는 미술 작업을 하고 싶다는 생각이 강하게 들었다. 루브르 박물관, 오르세 미술관, 오랑주리 미술관, 퐁피두 센터를 둘러보면서 가슴 설레고 벅찬 행복감을 느꼈다. 내가 이런 것들을 원했구나.
 한국으로 돌아와서 대학교 2학년 때 들었던 이은기 저자의 서양미술사 책을 꺼내 들었다. 부끄러운 이야기이지만 이전에는 서양미술사의 흐름 중심에 있던 작가와 작품은 공부의 대상이었다. 한국사를 배울 때 왕들의 이름, 유명한 전투 그리고 그 발생 연도를 암기해야 했던 것처럼 작품은 암기의 대상이었다. 단 한 번도 책에 실린 그림을 보고 눈물지을 정도로 감동을 한 적이 없었다.

하지만 파리에서 대작들을 보면서 타이밍이 들어맞아서 그럴지 모르지만, 눈물이 왈칵 쏟아지는 격한 감동을 했다. 이전에도 전시를 많이 보러 다녔다고 생각했는데 안다는 것이 머리로만 아는 것과 가슴으로 느끼는 것은 달랐다.

책장을 펼치기 전에는 몰랐는데 한번 펼쳐 보고 나니 그 안에 엄청나게 많은 시간을 들여 알아가야 할 수많은 공부할 거리가 눈에 들어오기 시작했다. 흔히 현대미술은 감상이 아니라 논리와 지식의 단계로 가고 있다고 한다. 작가가 전시를 보여준다는 것은 비평적 대상이자 담론의 대상을 선보인다는 것이고 미술의 역사 속에 동시다발적으로 튀어나온 그 사람들을 공부한다는 것은 끝나지 않는 숙제를 자발적으로 하는 것과 같다. '아 그래서 이렇게 작업했구나'하고 알아가는 재미도 있지만 내가 그 무리에 끼고 싶다는 욕심이 생겼다.

석사과정 첫 학기, 이론 공부도 하면서 내 작업 세계도 정립해야 했다. 읽어야 하는 책, 참고해야 할 논문, 추천하는 전시를 보면서 바쁘게 시간이 흘러갔다. 그러면서 깨달은 것은 자연스럽게 나의 내면에 관심을 돌릴 수 있었다는 것이다.

작업을 위한 글을 쓰는 작업 노트를 만들면서 <아서 플랙의 노트>에 대해서 알게 되었다. 어릴 때는 흑과 백으로 명확하게 양분화되어 착한 사람, 나쁜 사람을 구분 짓기 편했다. 나이가 들면서 무조건 나쁜 사람도 없거니와 착한 사람은 주변 사람들을 힘들게 만들기도 한다는 것을 알게 되었다. 특히 배트맨의 적, 조커는 분명 나쁜 놈이지만 무조건 나쁜 놈이라고 할 수 없다. 조커로 흑화할 수밖에 없었던 아서 플랙이 왜 그렇게 변할 수밖에 없는지를 알게 된 이후로 측은한 마음이 생겼다. 그는 노트에 이렇게 썼다.

"정신질환이 제일 안 좋은 점은 사람들 앞에서 안 그런척해야 한다는 것이다."

조커 영화에서 이 노트는 그의 일기장이자 스탠드업 코미디를 위한 조크북으로 사용된다. 영화 내내 아서는 자기 생각과 농담을 이 노트에 기록하는데, 이 짧은 문장에서 그의 고립감을 알 수 있었다. 영화를 다 보고 나서 그가 이렇게 힘들어할 때 누군가 옆에서 조금이라도 도와줬더라면 하는 안타까움을 느꼈다.

아서가 감정적인 변화를 솔직하게 썼던 노트로 보는 사람들로 하여금 공감을 끌어냈던 것처럼, 글을 쓰든 그림을 그리든 나를 표현하는 작업에는 진심을 담아야 한다. 내 나이 마흔까지 겪어왔던 힘들었던 기억을 다 토해내야 하는데 아이를 가질 수 없었던 아픈 기억도 털어내야 했다. 아이를 낳지 않기 때문에 내 공부를 시작할 수 있었던 아이러니 덕분에 긍정적으로 털어낼 수 있어서 감사하다.

남편과 함께 유학 가기,
새로운 꿈을 꾸다

인생이 어디로 어떻게 흘러갈지 알 수 없다. 오늘 수영을 마치고 나오는데, 오랜만에 예전에 알던 지인이 전화가 왔다.

"선생님, 미술학원 잘하고 계세요? 못 본 지 정말 오래되었네요."

"저 미술학원 정리했어요. 폐업해서 지금은 안 하고 있어요."

"왜요?? 많이 힘드셨어요?"

"아니요, 공부를 다시 시작했어요."

"정말요? 인생이 어디로 어떻게 흘러갈지 정말 알 수 없다, 맞죠."

새삼 다시 곱씹게 되는 말이었다. 인생이 어떻게 풀려갈지 본인조차 한 치 앞을 예상할 수 없다. 남편이 18년간 가졌던 직업을 어떻게 선택하게 되었는지를 적어보려 한다.

남편은 조리학과를 졸업해서 18년간 요리사로 일했다. 어떻게 요리사가 되었는지를 물었을 때 그는 친구 때문이라고 대답했다. 남편은 절친한 친구 준하와 어린 시절 술을 잔뜩 먹고 같이 집 또는 준하의 집에 가서 늘어지게 자다가 다음날 해장국을 먹고 헤어지는 일이 잦았다. 20살 대학교 원서를 쓰는 날 술이 덜 깬 남편이 늘어져 자는 동안 준하는 남편의 원서를 대신 썼다고 한다. 수많은 학과 중에 그는 남편의 전공을 조리학으로 택했다. 나중에 물어보니 자기가 해보고 싶은데 본인은 자신이 없고 남편이 하는 걸 지켜보고 괜찮으면 자기도 요리사가 되려고 했단다. 정말 우습게도 친구가 정해준 전공으로 남편은 입학했다. 준하는 남편의 인생에서 중요한 결정을 한 가지 더 해버렸다. 대학 원서를 쓰던 그날처럼 둘은 술이 덜 깨서 뻗어 있었는데 남편 주민등록번호로 준하는 군대를 지원해 버렸다. 그렇게 남편은 갑작스럽게 입대하게 되었고, 취사병으로 경험을 쌓았다.

남편의 이야기는 평범하지 않은 희귀한 경험이지만 인생은 정말 알 수가 없다. 지방의 조그마한 미술교습소를 운영하던 자영업자였던 내가 평생 먹고 살 줄 알았던 학원 선생님을 때려치우고 다시 공부하게 될 줄은 몰랐다. 물론 세월이 지나고 보면 최선의 선택이 아닐지도 모르지만 하고 싶었던 것을 실행할 수 있었던 것만으로 감사한 삶이다. 그런

데, 얼마 전부터 남편과 새로운 꿈을 꾸고 있다. 바로 함께 유학을 떠나는 것이다.

십수 년 전 나는 영국으로 유학을 가고 싶었다. 영국 왕립학교로 미술 유학을 많이 떠났고, 2년의 석사과정 학비는 너무나 큰 액수였다. 매달 생활비와 2년 동안의 학비를 계산기로 두드려 봤을 때 포기해야 하는 금액이었다. 그런데 석사 수업 중에 교수님이 얼핏 1년 과정이 있다고 말씀하셔서 찾아보게 되었다. 과연 영국 석사과정 유학에 1년 코스로 갈 수 있는 학교가 몇 군데 있었다. 그날 남편에게 슬며시 물어봤다.

"여보, 나 유학 가고 싶어.

같이 1년 과정 다녀오면 좋겠는데."

말도 안 되는 소리 한다고 눈을 흘길 줄 알았는데 긍정적인 반응을 보였다. 학교에 다니면서 밝아지고 너무 재미있어 하는 모습에 공부하길 잘했다고 말하는 그였다. 현실적인 사람인데, 유학을 같이 가주겠다니, 생각만 해도 가슴 설레는 새로운 꿈을 꿀 수 있게 되었다.

그는 말로만 끝내지 않았다. 영국 유학을 최근 다녀온 유튜버 영상을 보고 런던의 집세가 얼마나 하는지 알아보았고 1년 과정의 학비가 얼마인지 물었다. 1년간 내 뒷바라지를 하겠다니.

몇 년 뒤에 실제로 우리가 가게 될지는 모르겠지만 우리는 계획을 실행하기 위해 준비를 하고 있다. 차를 타고 이동할 때는 영어로 라디오를 듣고, 원래 남편이 계획했던 새 차 구매 계획도 취소했다. 매달 지급하는 약정이 필요한 구매는 하지 않고, 해외에서도 꾸준히 수입을 만들 수 있는 경제적인 부분도 머리를 맞대고 고민하고 있다. 예를 들면 블로그에 글을 써서 광고 수입을 받을 수 있게 꾸준히 글을 발행하거나 주식, ETF를 공부해서 미국 배당 주식을 사 모으고 있다. 집을 비워야 하는 상황이 생길 수도 있기에 미니멀 라이프의 삶을 고수하고 있다.

토요일에는 외국인을 상대하는 아르바이트를 하고 있다. 조금이라도 영어를 쓰는 상황에 노출하기 위해서 시작했는데 친해진 단골들과 내 그림 작업에 관한 이야기도 하고 재테크에 대한 정보를 얻을 수 있다.

마흔에 모험을 할 수 있다니, 생각지도 못했다. 물론 어떤 도전을 하기에 늦은 나이일 수도 있다. 안정적인 삶을 추구하지 않아서 노년에 고생한다는 조언을 들을 수도 있다. 나는 인생에 정답을 택한 적이 별로 없어서 그런 말에 흔들리기도 한다. 하지만, 막연한 희망이겠지만 늦은 나이에도 꿈에 집중하라는 사람들의 말에 용기를 얻었다. 하비토먼은 23년 동안 적자였던 화장품 회사를 52세에 성공할 수 있었다. 미국의 권투 선수 조지 포먼은 45세에 복싱 헤비급 세계 챔피언이 되었다. 미국의 대형 할인점인 월마트의 창업자 샘 월튼은 44세에 첫 번째 월마트 매장을 열었는데 그는 "다른 사람이 아니라고 해도 당신의 아이디어를 믿어라."라고 말했다.

킹 캠프 질레트는 48세에 일회용 면도기를 발명하여 세계적인 브랜드 질레트를 개발했다. 이 밖에도 나이는 숫자에 불과하다는 말처럼 정말 많은 사람이 자신의 신념을 믿고 불안감을 이겨냈다.

남편과 함께 유학을 떠난다는 것이 현실적으로 어려울 수도 있다. 석사 학위를 받고 난 뒤의 계획이니까 아직 시간이 있지만 한여름 밤의 꿈처럼 사라질 수 있을 것이다. 하지만 예전 영어 선생님 데이비드처럼 한국에서 온라인으로 영국 석사를 할 수 있는 방법도 있고 한국에서 박사 과정에 진학할 수도 있을 것이다. 그래도 어려울 거라고 단정 짓고 꿈을 꾸지도 못한다면 이룰 가능성이 '0'이 되어 버린다. 어떤 것도 노력해서 연습한 것이 물거품이 되는 일은 없다. 대학생 때 학점을 따기 위해 열심히 배워뒀던 그래픽 프로그램은 몇 년 동안 우리를 먹여 살리는 밥벌이가 되어줬고, 블로그를 쓰면서 글을 쓰던 습관은 하루 3달러 광고 이익을 얻을 수 있도록 해주었다.

꿈이 현실이 될 수 있도록 최선을 다해서 방법을 찾아볼 것이다. 안 되면 되게 하라. 그래도 안 되면 말고.

마흔에 모험을 할 수 있다니, 생각지도 못했다. 물론 어떤 도전을 하기에 늦은 나이일 수도 있다

위기를 대하는 자세

누구나 위기가 찾아온다. 늙으면 삶의 지혜도 많이 배우고 무던해져서 현자처럼 그 위기를 대할 수 있을 줄 알았는데 친정엄마를 보니 칠갑이 넘은 뒤에도 위기가 찾아올 때면 똑같이 힘들고 똑같이 아파했다. 오뚝이처럼 넘어지는 것은 똑같은 것 같다. 일단 넘어갔다가 다시 돌아오는 시간이 나이가 들어갈수록 짧아지는 것 같다. 인생을 여행에 많이 비유한다. 여행 갔던 추억을 떠올려보면 고생하고 힘들었던 기억이 더 오래 남고 오래간다. 편안하고 즐겁기만 했던 여행보다는 도둑을 맞아서 경찰서에 신고도 해보고 억수같이 비가 쏟아져 내려서 홀딱 젖어버린 기억에 웃음 짓는다. 삶에서 위기가 찾아오면 당시는 힘들어 넘어지기도 하고 그냥 콱 죽어버렸으면 좋겠다고 생각할 수 있다. 하지만 오뚝이가 넘어졌다가 다시 올라오는 것처럼 올라간다는 믿음이 있다면 조금은 견딜만하다. 견딜만한 하루하루를 버티다 보면 다시 일상을 찾아간다.

몸이 아프면 통증의 강도를 측정하기 위해서 VAS 통증 척도로 0부터 10까지 환자의 통증 정도를 파악한다. 사람마다 정말 많이 아팠던 경험을 기준으로 '그때 비하면 괜찮아' 혹은 '그때만큼 아팠어'라고 아픈 경험을 척도로 파악한다. 그것처럼 인생에서도 진짜 많이 힘들었던 위기를 강도 10으로 잡고 때때로 생기는 위기를 어느 정도 강도인지 측정해 보면 '그때만큼은 아니네.' 하는 위안하게 된다. 나는 20살부터 23살까지가 인생에서 제일 힘들었다. 재수할 때 아버지를 여의었고 삼수를 할 때는 재수할 때 열심히 했던 게 아까워서, 사수 때는 가족의 응원으로 마지막으로 해보면 미련도 없겠다고 생각해서 대학 입시를 했다.
예쁘게 입고 화장하고 대학 새내기를 보내는 시기에 운동복 바지 차림에 머리는 매일 질끈 묶고 화장기 없는 얼굴로 문제집과 참고서를 들고 왔다 갔다 하는 내 모습이 패배자 같았고 자존감이 바닥을 치면서 '뭘 해도 안 되는 사람'이라고 스스로 낙인을 찍으려 했다. 위기가 있으면 기회도 있다는 말을, 그 인생의 진리를 믿을 때도 아니어서 대학 때문에 인생을 허비했다는 생각에 하루하루가 우울했다. 나는 그때가 인생의 통증 강도 10이었다. 그런 경험을 하고 나니 그 뒤로 오는 위기들은 강도를 매겨보면 아무리 세게 와도 7에서 8 정도여서 위기를 극복할 수 있었다. 이별의 아픔을 겪을 때도 이 또한 지나간다는 감정의 소용돌이가 잠잠해지기를 기다렸다. 물론 펑펑 울어서 쌍꺼풀이 사라지기도 하고 입맛이 없어 굶느라 살이 빠지기도 하고 술이라도 한잔하는 날에는 전화하고 싶은 충동을 억누르느라 전화기를 아예 꺼버리기도 하면서 하루하루를 버티다 보면 폭풍이 지나가고 잠잠해지는 순간이 온다.

위기가 오면 일단 살아남는 것에 전력을 다해야 한다. 살아남아야 다음이 있으니까.

낙담하는 순간 좋은 일이 있으면 나쁜 일도 있다는 새옹지마를 떠올렸다. 옛날 중국에 새옹이라는 노인이 살고 있었다. 어느 날 새옹의 말이 집을 나가버렸는데 마을 사람들이 속상해하며 위로하니 새옹이 말했다.

"이 일이 좋은 일이 될지 누가 알겠소."

얼마 후에 새옹의 말은 뛰어난 말을 데리고 돌아왔다. 새옹은 말했다.

"이 일이 화가 될지 누가 알겠소."

그 말을 타던 새옹의 아들은 다리를 크게 다치게 되었다.

하지만 얼마 후 전쟁이 일어나게 되었고 절름발이 아들은 전쟁에 나가지 않아 살아남게 되었다.

인생이 어떻게 될지 알 수 없지만 위기가 왔을 때 노인 새옹처럼 좋은 일이 될지 누가 알겠냐는 삶의 태도라면 어떨까.

새옹지마 이야기는 너무 진부한 이야기일 수 있지만, 살아남으려고 내가 할 수 있는 것을 찾아서 묵묵히 하고 있었더니 기류가 바뀌는 것을 경험했다. 그리고 언제 닥칠지 모르는 위기가 또 찾아오더라도 잊지 말아야겠다고 늘 떠올리곤 한다.

"이 일이 좋은 일이

될지 누가 알겠소."

책을 마치며

'이제 힘든 일이 와도 무던하게 받아들일 수 있겠지.' 스스로를 과대평가했다. 올해 초 친정엄마가 산에서 넘어지셔서 구급차에 실려 가셨고 너무 심하게 다쳐 얼굴은 찰과상과 함께 인중 부분은 살갗이 떨어져 나가 엄마를 보자마자 심장이 떨리면서 눈물이 콸콸콸 쏟아지려고 했다. 이미 지난 일들이기에 여유로운 태도로 담담하게 써 내려갈 수 있을 뿐이지 힘든 일이 또 닥치면 또 좌절하고 힘겹게 나아갈 것이다. 그래도 한 가지 분명한 사실은 사람은 태어나서 반드시 죽음이 오는 것처럼 힘겨운 일도 언젠가는 지나간다는 사실이다.

나는 힘든 일이 있을 때 똑같은 경험이 있었던 사람에게 받는 공감이 큰 위로가 되었다. 만약 코로나 때 받은 타격으로 힘든 과정을 지나고 있는 누군가가 있다면, 아이가 생기지 않아서 슬픔 속에 빠진 분이 있다면 빠르게 지나가길 기도한다. 그리고 이렇게 극복해 나갔구나 하고 도움이 되었으면 좋겠다.

모든 에피소드에 해당하지는 않지만 나는 힘든 일이 있을 때 일기처럼 노트에 적어둔다. 자세한 감정들을 솔직하게 풀어 써 두는데 그렇게 쓰는 것만으로도 한결 마음이 편안하고 가벼워진다. 시간이 흘러서 그렇게 소소한 일이 있었는지도 잊게 되는 어느 날 우연히 힘들 때 써둔 글을 읽어보면 '별것 아니네.', '유치하게 이런 거로 마음 상했단 말이야?'라고 과거의 귀여운 나를 회상해 본다.

 글을 재미있게 쓰는 재주가 없어서 부끄럽지만 쓰다 보면 이것 역시 점점 나아질 것이라고 믿는다. 사진작가 체이스 자비스의 말은 늘 용기를 끌어 올려 준다.

"재능이 있는 만큼, 재능이 없다는 것도 좋은 기회가 될 수 있음을 기억하라."